¡Revitalízate!

*A mis cuatro hijos, Samuel, Miriam, Daniel y María,
con el deseo de que cuando sean mayores
«comer bien» sea algo sencillo, asequible y fácil.*

El autor ha escrito este libro en
colaboración con Pilar Benítez.

¡Revitalízate!
Autor: Jorge Pérez-Calvo Soler
Realización editorial: Imaginación impresa
Diseño y maquetación: Sergio Català
Fotografías: véase página 263
© Jorge Pérez-Calvo Soler y Pilar Benítez, 2013
© de esta edición, RBA Libros, S. A., 2006
Diagonal, 189 - 08018 - Barcelona
www.rbalibros.com / rba-libros@rba.es

Primera edición: junio de 2006
Tercera edición: enero de 2015

ISBN: 84-7871-727-7
Ref.: OAG0143
Depósito legal: B-12.085-2013

Jorge Pérez-Calvo

¡Revitalízate!

Las mejores **RECETAS**
de la cocina **ENERGÉTICA**

RBA

ÍNDICE

Prólogo

Este libro está destinado a toda persona interesada en mejorar su salud a través de la alimentación, usando la cocina como herramienta diaria para ello. Nuestra condición física, mental y emocional está condicionada constantemente por los alimentos que comemos.

Nuestro cuerpo desaparecería literalmente si no comiésemos de manera regular. La forma en que cocinamos, qué cocinamos, lo que nos vamos a comer, la calidad del alimento y su forma de preparación, condicionan de forma definitiva los efectos que va a producir sobre nuestra persona. La cocina es un arte de muy difícil realización, puesto que no sólo debe aportar el placer al paladar y a la vista, sino que debe, sobre todo, cumplir unas funciones nutricionales y de mantenimiento de la salud básicas para nuestra supervivencia y para poder obtener una mejor calidad de vida.

Como se explica en la primera parte del libro, el alimento tiene unas propiedades inherentes a sí mismo en función de su sabor, naturaleza, lugar de origen, color, etc. Estas propiedades le dan un trofismo por ciertos órganos y una funcionalidad que puede ser usada con efectos terapéuticos.

Más allá del uso de las calorías y las vitaminas como conceptos muy básicos de la nutrición clásica, hay otros conceptos milenarios que se han usado en culturas muy antiguas para mejorar, prevenir y curar un gran número de enfermedades y condiciones.

La finalidad de este libro no es la de presentar un complejo libro de cocina, sino un libro básico para poder elegir platos que se avengan a nuestras necesidades más simples de cada día.

Hemos clasificado las recetas en 5 categorías, de manera que hay platos para:

- Aumentar el nivel de energía del cuerpo y la concentración física y mental.
- Relajarnos, disminuir la angustia y la ansiedad, favorecer el sueño y ayudar a una condición más tranquila del espíritu.
- Depuración, adelgazamiento y desintoxicación del cuerpo; algo básico en nuestros tiempos debido a la constante invasión de tóxicos, alimentos con aditivos químicos, contaminación electromagnética, metales pesados, alimentos manipulados genéticamente, activados con insecticidas o pesticidas, animales alimentados con piensos de dudoso origen, etc.
- Recuperarse después de un desgaste, estrés o ejercicio físico importante. Son recetas que nos van a ayudar a recuperar sustancia básica y masa corporal después del desgaste.
- Mejorar la capacidad digestiva. La fuerza digestiva es fundamental para la salud de la persona y su nivel de energía (para más información sobre el tema, referirse al libro *Nutrición energética y salud*).

La intención de este libro no es la de dar una extensa explicación sobre estos temas, sino la de crear un manual muy simple de referencia para poderse manejar a diario sin demasiada complejidad teórica. Pretende ser una referencia básica de consulta simple para poder elegir platos en función de cuáles sean nuestras necesidades o requerimientos del momento.

Evidentemente, todo plato equilibrado requiere de unas proporciones determinadas de los distintos tipos de alimentos. Los cereales siempre tendrán un efecto más tonificante de cara a nuestra energía, las legumbres nos relajarán, la fruta nos sedará, las verduras y las algas nos depurarán y las proteínas actuarán como reconstituyentes.

Los alimentos, por su naturaleza, tienen tendencia a cumplir una serie de funciones; pero dependiendo de cómo se cocinen, de cómo se elaboren, estas condiciones pueden modificarse. Esto es lo que de alguna manera intentamos reflejar y matizar a lo largo de esta obra.

Es obvio que toda dieta debería individualizarse en función de la persona y sus condiciones, sexo, lugar donde vive, trabajo, edad... Esto es imposible de hacer si no es mediante una consulta con el especialista. Por ello, hemos pretendido ofrecer unas recetas muy generales que pueden ir bien a la mayoría de la población, lo cual no quita que cada uno pueda crear ligeras improvisaciones sobre las recetas base para adaptarlo a su gusto.

No obstante, si se cambia el uso de determinadas especias o de según qué condimentos, puede ocurrir que se modifiquen sus efectos. Las proporciones, tiempos de cocción y cantidades pueden variar dependiendo del tipo de ollas, fogones o la presión atmosférica; por lo tanto, éstas serán siempre aproximadas.

En la cocina, es muy importante la actitud del cocinero, la atención, cuidado y mimo con que se elabora el plato.

Asimismo, es muy importante la intención que se pone al preparar el plato. Si tenemos la motivación de mejorar el nivel de energía y el bienestar de quien va a consumir nuestra receta, esto va a ser un ingrediente que ayudará a que el plato haga su efecto, pues el alimento es receptivo a la energía del cocinero. La concentración y buen talante del cocinero hace que el plato sepa mejor y siente mejor.

Dado que las fuentes proteicas tradicionales cárnicas y lácticas están médica y socialmente cuestionadas, en este libro se ofrecen alternativas proteicas de alta calidad, sin toxinas y de alto nivel nutricional.

De la misma manera, el uso extendido de abonos, insecticidas, pesticidas y el agotamiento de las tierras de cultivo, así como la manipulación genética o la transgenización de cultivos vegetales, invitan a un consumo de *alimentos cultivados ecológicamente*, exentos de todas esas alteraciones que afectan de forma negativa a nuestro organismo.

Se recomienda el uso de las algas por su alto nivel nutricional, especialmente por su riqueza en sales minerales, por su capacidad desintoxicante y depurativa del cuerpo, por su capacidad de eliminar residuos cárnicos y lácticos del organismo, y por aportar ciertos nutrientes que, hoy en día, si el vegetal no es de cultivo *ecológico*, es difícil que ingeramos (cinc, magnesio, etc.).

Veinticuatro años de práctica médica con dietoterapia me han convencido de la bondad de esta alimentación a la hora de mejorar de forma rotunda la calidad general de la salud y de la condición de la persona.

Es importante leer la primera parte del libro antes de pasar a las recetas, para comprender ciertos principios energéticos básicos a la hora de abordar las recetas con buen criterio.

El cuerpo, como cualquier otro fenómeno del universo, siempre está buscando el equilibrio entre polaridades opuestas. Si nuestra alimentación es muy concentrada y contractiva (mucha carne, embutidos, sal, exceso de cocción, presión, fuego, etc.), nos apetecerá consumir más alimentos de tipo expansivo (azúcar, chocolate, helados, zumos, frutas, alcohol, drogas —en su extremo); productos que producirán una distensión en los tejidos y dispersión en general de la energía. Compensar tendencias oscilando entre opuestos, tiene para nuestro sistema nervioso vegetativo y nuestro organismo un alto coste biológico y energético.

Por el contrario, con una dieta más centrada, con alimentos más nutritivos y energéticos y menos extremos en su condición y más fáciles de asimilar y metabolizar, como los que se proponen aquí, es más fácil encontrar bienestar, equilibrio y aumento de la vitalidad.

Las recomendaciones que hacemos se pueden practicar de por vida y no están sujetas a condiciones coyunturales como otras dietas terapéuticas o de adelgazamiento (dieta frugívora, carnívora, disociada, higienista) que pueden ser adecuadas y tener éxito en un momento determinado, con unas condiciones específicas de la persona, pero no en otras.

A la larga, el mantenimiento de este tipo de dietas acaba fracasando por las razones que se exponen en la primera parte de este libro.

Para informarse en profundidad sobre las propiedades terapéuticas de los alimentos, remítanse al libro del mismo autor *Nutrición energética y salud*, editado por Debolsillo.

Los efectos de cambiar nuestra alimentación en el sentido que aquí se indica, se notan en pocas semanas: el tono energético mejora, la digestión se vuelve más ligera, se despeja el estado mental y se serena el emocional.

También se especifica en qué estación del año es recomendable cada receta.

El lector no tropezará con sobreabundancia de términos eruditos médicos, nutricionales o propios de medicinas orientales que, aunque conforman los fundamentos de este libro, podrían obstaculizar su entendimiento. Las explicaciones se hacen de forma llana e intuitiva.

Bases de una cocina saludable

Los alimentos como energía

Los alimentos son fundamentalmente energía. En realidad, todo el universo lo es. La teoría cuántica, una de las ramas de la física moderna, lo ha demostrado. Según ella, la materia no es sino energía condensada. Veamos en qué se basa esa afirmación. Como sabemos, los átomos están formados por uno o varios electrones y por un núcleo compuesto de protones y neutrones. Los electrones no tienen masa, es decir, son energía en estado puro. Los protones y los neutrones, en cambio, sí cuentan con ella. Sin embargo, cálculos científicos han probado que si uniéramos todos los núcleos atómicos del universo, ocuparían el mismo espacio que la cabeza de un alfiler. Lo cual demuestra que la materia, por sólida que parezca, está prácticamente vacía.

El hecho de que una sustancia o un fenómeno nos resulten más o menos sólidos es una cuestión de percepción. En realidad, nunca llegamos a tocar nada verdaderamente. Cuando creemos rozar una mesa, sus electrones y los de los átomos de nuestros dedos no entran en contacto. Si lo hicieran, estaríamos frente a una reacción química, algo que, obviamente, no sucede cuando pasamos la mano por una mesa. La solidez de un objeto, en definitiva, no es más que una impresión. Y es que si pudiéramos contemplarlo a nivel subatómi-

co, comprobaríamos que un objeto, sea cual sea su naturaleza, está formado por pequeñísimas porciones de masa separadas por enormes espacios huecos, una suerte de universo en el que los núcleos atómicos ejercen de estrellas, los electrones de planetas, y el resto son millones de kilómetros de puro vacío. De hecho, cuando algo se nos antoja duro o, por el contrario, blando, lo que estamos percibiendo son energías con diferentes longitudes de onda.

En resumen, tanto nosotros como el mundo que nos rodea somos básicamente energía. Y los alimentos, por supuesto, no escapan a esa ley. Por ello es por lo que vamos a abordar la alimentación desde el punto de vista energético.

El yin y el yang: la polaridad universal

La concepción del mundo como un cúmulo de fenómenos energéticos no es patrimonio exclusivo, ni mucho menos, de la física moderna. Tradiciones y filosofías de distinto signo y origen geográfico entienden y explican la realidad de esa forma desde hace muchísimos siglos. Y todas ellas, asimismo, comparten la idea de que los fenómenos se manifiestan como si tuvieran dos caras, resultado de la existencia de una polaridad energética universal, que se ha representado de distintas formas según la cultura o la religión a la que nos refiramos: el taoísmo la simboliza con el círculo del yin y el yang (los términos que vamos a utilizar en esta obra); el cristianismo, con la cruz (la energía vertical y la energía horizontal) o también con la Madre Tierra y el Padre Celestial, a los que se refiere Jesucristo en el evangelio copto de santo Tomás, por ejemplo; el judaísmo, con la estrella de David (dos triángulos superpuestos, uno de ellos invertido); el budismo tibetano, con la esvástica

(tan tergiversada por el nazismo); el sintoísmo, con la T invertida; el zoroastrismo, con el punto y la línea; etc.

¿En qué consiste esa polaridad? Ya en la antigüedad, los hombres observaron que en todo fenómeno existe una tendencia hacia la expansión y otra hacia la contracción o, lo que es lo mismo, una tendencia yin y otra yang. En función de qué tendencia predomine en un momento determinado, es decir, sabiendo si el fenómeno se encuentra en una fase expansiva (yin) o en una fase contractiva (yang), se puede prever qué evolución sufrirá. El yin y el yang son, en síntesis, fuerzas (la primera centrífuga, la segunda centrípeta) que operan en cualquier dimensión de la realidad. Si hablamos, por ejemplo, del movimiento, éste será más yin cuanto más lento sea, y más yang cuanto más rápido. Si nos referimos a las texturas, las blandas son más yin, y las duras, más yang. Si analizamos a una persona por su constitución, será más yin cuanto más alta y gruesa sea, y más yang cuanto más baja y delgada. En cuanto a los ambientes climáti-

	YIN Fuerza centrífuga	YANG Fuerza centrípeta
TENDENCIA	Expansión	Contracción
FUNCIÓN [	Difusión	Fusión
	Dispersión	Asimilación
	Separación	Reunión
	Descomposición	Organización
MOVIMIENTO	Más inactivo y lento	Más activo y rápido
VIBRACIÓN	Onda corta y alta frecuencia	Onda larga y baja frecuencia
DIRECCIÓN	Ascendente y vertical	Descendente y horizontal
POSICIÓN	Hacia fuera, periférica	Hacia dentro, central
PESO	Más liviano	Más pesado
TEMPERATURA	Más fría	Más cálida
LUZ	Más oscura	Más clara
HUMEDAD	Más mojado	Más seco
REINO	Vegetal	Animal
DENSIDAD	Menor	Mayor
TAMAÑO	Más grande	Más pequeño
FORMA	Más expansiva y frágil	Más contraída
EXTENSIÓN	Más larga	Más corta
TEXTURA	Más blanda	Más dura
PARTÍCULA ATÓMICA	Electrón	Protón
ELEMENTOS	N, O, K, P, Ca, etc.	H, C, Na, As, Mg, etc.
AMBIENTE	Vibración, aire	Agua, tierra
EFECTOS CLIMÁTICOS	Clima tropical	Clima frío
BIOLÓGICO	Más calidad vegetal	Más calidad animal
SEXO	Femenino	Masculino
ESTRUCTURA ORGÁNICA	Más hueca, expandida	Más compacta, condensada
NERVIOS VEGETATIVOS (ESTRUCTURA)	Simpático	Parasimpático
ACTITUD	Más pasiva	Más activa
TRABAJO	Más psicológico y mental	Más físico y social
FUNCIÓN VEGETATIVA	Parasimpático	Simpático
MENTALIDAD	Analítica	Sintética

cos, el tropical es más yin y, en cambio, los ambientes fríos son más yang. Yin, en definitiva, es todo lo que conlleva difusión, dispersión, separación, descomposición, etc. Yang, por el contrario, es lo que implica fusión, asimilación, reunión, organización, etc. En el siguiente cuadro podemos ver éstos y otros ejemplos de la aplicación de la polaridad yin/yang en la realidad.

Esta división debe tomarse siempre en términos relativos. Nada es yin o yang de forma absoluta, sino que todos los fenómenos son una combinación de ambas tendencias energéticas en una u otra proporción. Además, esa proporción varía constantemente, hasta el punto de que cualquier cosa, llevada al extremo, se convierte en su opuesto. Por otra parte, algo que, generalizando, lo incluiríamos en el campo de lo yin, puede ser yang comparándolo con algo más yin, y viceversa.

Para comprender mejor cómo funciona esta polaridad universal, podemos acudir a los principios y leyes que, de acuerdo con la tradición oriental, regulan el funcionamiento energético del mundo. Según ella, los siete principios del «infinito universo» —concepto que alude a la matriz de fenómenos que nos envuelve, de la cual surgen los acontecimientos, situaciones y seres que configuran nuestra realidad— son:

- Todo es una diferenciación del Uno infinito.
- Nada es idéntico.
- Todo fenómeno es efímero y está transformándose constantemente, cambiando su polaridad de yin a yang, o viceversa.
- Los elementos antagónicos son complementarios, es decir, forman una unidad.
- Lo que tiene cara tiene dorso, y cuanto mayor es la cara, mayor es el dorso.
- Todo lo que tiene principio tiene fin.
- Yin y yang se manifiestan continuamente desde el eterno movimiento del infinito universal.

A partir de estos siete principios, la tradición oriental entiende el universo como una manifestación de dos energías antagónicas y complementarias, el yin —que representa la centrifugalidad— y el yang —que representa la centripetalidad—, las cuales se atraen mutuamente, interactúan y generan todos los fenómenos. Conviene tener en cuenta que nada es totalmente yin o totalmente yang. Cualquier fenómeno es una combinación de ambas energías en distintas proporciones, las cuales, además, varían constantemente. El equilibrio absoluto no existe, sino que, en los fenómenos, situaciones o sistemas estables, se da un equilibrio dinámico. Otras dos leyes fundamentales rigen a ambas fuerzas: por una parte, lo yin repele lo yin y lo yang repele lo yang; y, por otra, lo extremadamente yin produce yang y lo extremadamente yang produce yin.

Como veremos extensamente más adelante, también los alimentos tienen ese carácter bipolar: unos son más yin y otros son más yang; y, en función de ello, producen determinados efectos a nivel mental, emocional u orgánico. De ahí que la aplicación de la polaridad yin/yang a las recomendaciones sobre cómo alimentarnos y a las dietas curativas sea muy directa. Tan directa como efectiva. Un ejemplo a modo de anticipo: si una persona está dispersa, asténica y alicaída, es

decir, se encuentra en una fase yin, lo que convendrá es que tome, por ejemplo, alimentos salados, concentrados y tostados, que producen efectos yang.

Pero antes de entrar de lleno en la cuestión de la alimentación y la cocina, veamos cómo funcionan ambas fuerzas, la centrífuga y la centrípeta, el yin y el yang, a escala planetaria.

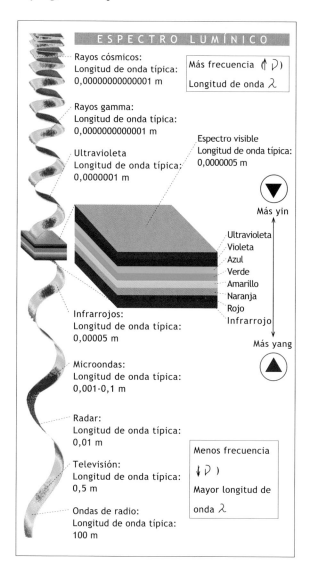

ESPECTRO LUMÍNICO

Rayos cósmicos:
Longitud de onda típica:
0,00000000000001 m

Rayos gamma:
Longitud de onda típica:
0,0000000000001 m

Ultravioleta
Longitud de onda típica:
0,0000001 m

Más frecuencia ↑ ♪)
Longitud de onda λ

Espectro visible
Longitud de onda típica:
0,0000005 m

▼ Más yin

Ultravioleta
Violeta
Azul
Verde
Amarillo
Naranja
Rojo
Infrarrojo

Más yang ▲

Infrarrojos:
Longitud de onda típica:
0,00005 m

Microondas:
Longitud de onda típica:
0,001-0,1 m

Radar:
Longitud de onda típica:
0,01 m

Televisión:
Longitud de onda típica:
0,5 m

Ondas de radio:
Longitud de onda típica:
100 m

Menos frecuencia
↓ ♪)
Mayor longitud de onda λ

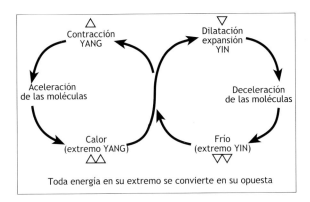

Contracción
YANG

Aceleración
de las moléculas

Calor
(extremo YANG)

Dilatación
expansión
YIN

Deceleración
de las moléculas

Frío
(extremo YIN)

Toda energía en su extremo se convierte en su opuesta

La energía terrestre y la energía celeste

Todos los fenómenos que se producen en nuestro planeta lo hacen en el encuentro de dos clases de energías, las terrestres y las celestes. Las energías terrestres son yin: verticales, ascendentes y centrífugas. Las celestes, por el contrario, son yang: verticales, descendentes y centrípetas. En la confluencia, en el choque de esas dos fuerzas, se genera y se desarrolla, sin ir más lejos, la vida. Cuando predomina la energía celeste, nos encontramos con el mundo inorgánico, y conforme la energía terrestre aumenta, aparece el mundo orgánico. Los minerales, por ejemplo, tienden a cristalizar, a organizarse ocupando el mínimo espacio y la menor energía posibles: son yang estructurado, centrípeto y condensado. En cambio, el mundo orgánico crece por inhibición, tiende a la expansión, y gracias a la energía terrestre puede satisfacer su vocación de ocupar cuanto más espacio mejor. Podemos comprobarlo remitiéndonos al crecimiento de las plantas, vertical y ascendente. Incluso las plantas que aparentemente crecen horizontalmente lo hacen en realidad hacia arriba. Cosa distinta es que luego no encuentren un huésped por el que trepar y caigan debido a la gravedad. Claro está que las raíces crecen hacia abajo, pues yin y yang siempre coexisten, pero la tendencia dominante en las plantas es el crecimiento hacia arriba y hacia fuera.

Dentro del mundo orgánico, existen diferencias entre el mundo vegetal y el mundo animal. Las células de los animales (yang) son más condensadas que las de los vegetales (yin) y, en general, el mundo animal se rige por una tendencia más centrípeta y aglutinadora que la que gobierna el mundo vegetal, absolutamente expansiva. Esto es debido a que los animales cuentan con mayor proporción de energía celeste que los vegetales.

La energía terrestre, centrífuga y yin, es fruto de la rotación del planeta y alcanza su punto culminante en los trópicos. Allí crecen grandes árboles, grandes hojas, grandes insectos. Y es que la energía de la Tierra produce abundancia y pluralidad de seres. Por el contrario, la energía celeste, centrípeta y yang, predomina en los polos, donde la vida tiene mayores dificultades para desarrollarse: hay menor variedad

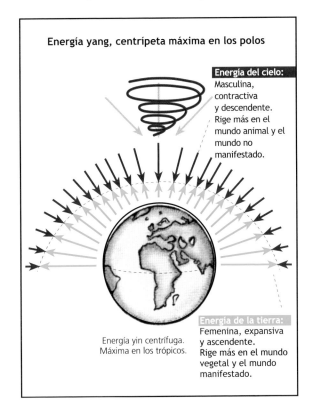

Energía yang, centrípeta máxima en los polos

Energía del cielo:
Masculina, contractiva y descendente. Rige más en el mundo animal y el mundo no manifestado.

Energía yin centrífuga. Máxima en los trópicos.

Energía de la tierra:
Femenina, expansiva y ascendente. Rige más en el mundo vegetal y el mundo manifestado.

de especies, con predominio absoluto de los animales —osos, focas...—, y las especies vegetales que empiezan a surgir conforme nos alejamos de los polos cuentan con características celestes (dureza, hojas pequeñas, más raíces y mayor condensación y resistencia que en los trópicos). Por otra parte, en los polos el mundo es más vibracional y energético (véase auroras boreales) que en el ecuador, donde hay más manifestaciones físicas materiales.

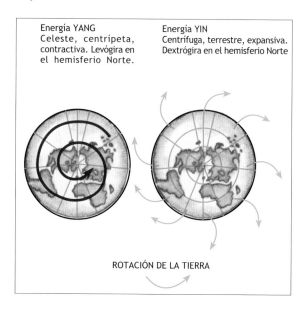

Energía YANG
Celeste, centrípeta, contractiva. Levógira en el hemisferio Norte.

Energía YIN
Centrífuga, terrestre, expansiva. Dextrógira en el hemisferio Norte

ROTACIÓN DE LA TIERRA

Dentro del mundo orgánico, lo vegetal es más yin: expansivo, pasivo y frío. Lo animal, en cambio, es más yang: compacto, activo y caliente. Como en los polos la energía predominante es yang, conforme nos acercamos a ellos van desapareciendo los vegetales. Si invertimos la dirección y nos encaminamos al ecuador, vemos que la diversidad vegetal, por el contrario, aumenta, y que los árboles son cada vez más altos (por más energía de la Tierra, yin).

Al contrario que las plantas, que reciben principalmente su energía de la tierra, a la que están arraigadas, los seres humanos, como animales que somos, tomamos más energía del cielo que de la tierra. Somos, de hecho, el animal que más energía celeste es capaz de captar. La proporción entre energía celeste y energía terrestre de que estamos cargados es, aproximadamente, de siete a uno, que, por cierto, es también la proporción ideal, según los clásicos, entre el tamaño del cuerpo y el de la cabeza. Existe, sin embargo, una pequeña diferencia entre el hombre y la mujer que explica la polaridad y hasta la atracción entre ambos: el hombre está más cercano a la proporción de ocho a uno. De ahí que los ciclos de la mujer se rijan por múltiplos de siete y los del hombre por múltiplos de ocho. La mujer comienza a menstruar, o comenzaba a hacerlo, a los 14 años. Actualmente, la primera menstruación se ha adelantado debido al excesivo consumo de carne y de proteína animal —factores yang—, pero el ciclo sigue repitiéndose cada 28 días, un múltiplo de siete; y un embarazo dura 280 días. En el hombre, en cambio, la pubertad llega a los 16, un múltiplo de ocho; y los 40 marcan en general un momento significativo.

Según las medicinas orientales, la energía terrestre entra en el cuerpo humano por los pies y por el perineo; la celeste entra principalmente por la cabeza. Ambas circulan por un mismo canal central y van cargando una serie de centros de energía, que los orientales denominan chakras, los cuales a su vez la distribuyen a través de nadis (o meridianos internos y externos) por todo el organismo. La energía sufre en ese trayecto un proceso progresivo de materialización, de más sutil a más densa, que alcanza su culminación en la linfa y las células.

Los chakras[1] regulan las actividades fisiológicas y mentales de su área de influencia. En total, existen seis centros de energía básicos[2] que se encuentran respectivamente en:

- La zona de la coronilla: es el lugar por donde entra, principalmente, la energía celeste (desde hace muchísimo tiempo este centro energético está desvitalizado, es decir, más allá de constituir la puerta de entrada de la energía celeste; no aporta energía al organismo sino que la consume).
- El mesencéfalo, o zona del cerebro medio: es el chakra que distribuye energía a los millones de células cerebrales.
- La región de la garganta: regula, entre otras cosas, la secreción de saliva, las funciones de las glándulas tiroides y paratiroides, la respiración y el habla.
- El corazón: gobierna, claro está, el sistema circulatorio.
- La zona estomacal e intestinal: desde donde se regula la digestión y se distribuye energía al hígado, el bazo, el páncreas y los riñones.

- La zona genital: es el principal lugar de absorción de energía terrestre.

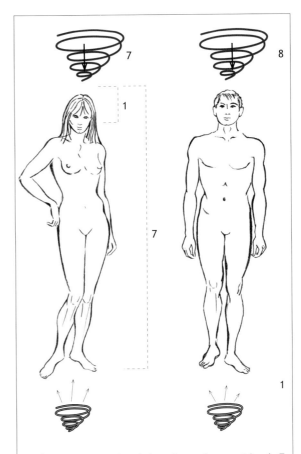

Según la medicina oriental, la mujer se rige por ciclos de 7 (primera menstruación a los 14 años, ciclos cada 28 días = 7x4), y el hombre se rige por ciclos de 8 (fertilidad aproximadamente a los 16 años). La mayor presencia de energía celeste, (8:1) hace al hombre más masculino con relación a la mujer (7:1), que absorbe más energía de la tierra.

1 Chakra: en sánscrito significa «rueda».
2 Al hablar de chakras nos referimos a los que están situados entorno al canal central. En el cuerpo existen otros centros de energía periféricos, por ejemplo en el hígado, en el bazo, en los riñones, en las manos, en el espacio interclavicular, etc. Por otra parte, la medicina tibetana describe seis chakras principales, mientras que la medicina ayurvédica habla de siete. El chakra que obvia la medicina tibetana está, según la ayurvédica, en la coronilla; la tradición tolteca tampoco lo valora por estar desvirtuado y fuera de control.

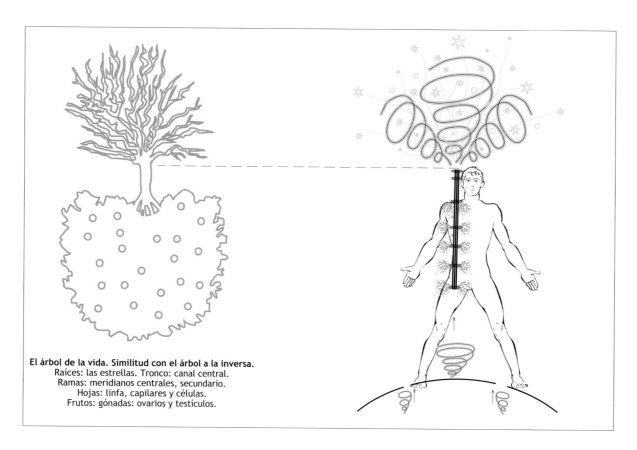

El árbol de la vida. Similitud con el árbol a la inversa.
Raíces: las estrellas. Tronco: canal central.
Ramas: meridianos centrales, secundario.
Hojas: linfa, capilares y células.
Frutos: gónadas: ovarios y testículos.

Además de recibir su aliento del canal distribuidor de la energía celeste y terrestre, los chakras se nutren de la fuerza que les aporta el sistema sanguíneo, cargado a su vez electromagnéticamente. Gracias a ello, podemos influir directamente en su actividad, dado que la sangre se nutre de los alimentos que ingerimos y de lo que respiramos. En función de lo que comamos y bebamos, y también de cómo respiremos, los condicionaremos en uno u otro sentido y, por lo tanto, podremos mejorar nuestras capacidades físicas y mentales.

Lo yin y lo yang en el hombre y la mujer

La polaridad energética universal explica también muchas de las diferencias que existen entre el hombre y la mujer. Pero para entender cómo operan el yin y el yang en los distintos sexos, conviene que diferenciemos previamente dos conceptos: la constitución de la persona y su condición. La constitución de la persona es el conjunto de características físicas y energéticas con que nace. Es, por así decirlo, su marca de fábrica, que nos habla de la estructura interna y la fortaleza de sus tejidos y sistemas orgánicos. La condición de la persona, en cambio, es el resultado de cómo nos cuidamos, el estado de forma en que nos encontramos en función de cómo vivimos y nos alimentamos, y nuestro estado de salud en un momento determinado.

Si, como veíamos anteriormente, la mujer es a *grosso modo* más yin que el hombre, sin embargo, hay que distinguir entre su interior y su forma externa. El interior de la mujer es más yang que el del hombre: está más cargado de energía celeste y es más concentrado. Prueba de ello es que sus órganos genitales están orientados hacia dentro y que, por lo general, la cintura es estrecha (los órganos centrales del cuerpo son más compactos) y su estatura es menor que la del hombre. En cambio, su forma externa es más yin que la del hombre: pechos mayores, formas no angulosas sino redondeadas, mayor cantidad de grasas, más blandita...

En líneas generales, tanto los niños como las niñas son yang: son pequeños y condensados y por eso les gusta lo yin (los helados, el azúcar, la fruta, etc.). Sin embargo, al nacer, una niña es más yang que un niño. Es más pequeña y compacta, más resistente y más fuerte. De ahí que durante el parto y las primeras semanas de vida sobrevivan más niñas que niños (en realidad, la muerte es el resultado final de un proceso de descomposición, de pérdida de energía, de desintegración, en definitiva, de yinización).

Desde la niñez, la mujer se muestra más atraída por lo yin y el hombre más atraído por lo yang. Esto ocurre precisamente porque el núcleo de la mujer es yang y se ve atraído por lo yin, y viceversa; el hombre internamente es yin y siente predilección por lo yang.

Así, la niña, que interiormente es más yang, acumula yin comiendo más grasa, dulces, verduras, frutas, ensaladas, etc. Con los años, su cuerpo se irá llenando de sustancia yin y aparecerán las curvas y redondeces propias del sexo femenino. Por el contrario, el niño, cuyo interior es más yin, tiende a comer más alimentos salados y concentrados, más proteína animal, alimentos más cocinados, con lo que acumula yang. Al nacer sin un núcleo energético denso y activo, busca métodos que lo hagan más fuerte, más compacto. Eso explica que se incline más que la niña por el ejercicio físico y por todo aquello que lo compacte.

Anorexia: alteración de yang

No todos los niños siguen este patrón general. En ocasiones, las tendencias no se cumplen y surgen alteraciones y enfermedades como por ejemplo la anorexia. Desde el punto de vista energético, la anorexia se explica por una falta de calidad del núcleo yang de la niña o adolescente. La niña rechaza lo yin: quiere estar muy delgada, tener un cuerpo plano y rehuye las redondeces y curvas propias de su sexo. Eso es producto de la falta de mineralización de su estructura interna o, en otras palabras, de la carencia de un buen yang nuclear. Lo que conviene en esos casos a nivel bioenergético es establecer dietas que nutran los órganos internos mineralizándolos. Con ese aporte de yang, la niña empezará a buscar también lo yin.

En general, la mujer, al tener un recubrimiento más yin, tiende a ser más emocional. El hecho de que cuente con mayor proporción de energía terrestre que el hombre la lleva a ser más práctica que él y le confiere mayores capacidades para la gestión de los asuntos biológicos y terrenales. El hombre, por el contrario, es más mental y proclive al idealismo. A la mujer le gusta lo yin: lo suave y lo delicado. Al hombre, en cambio, lo yang: la actividad, los deportes y la relación social. En cuanto a los alimentos, la mujer, en general, se inclina más por las frutas, las ensaladas, la verdura, los dulces o los lácteos. El hombre, por su parte, prefiere la carne, la caza o los alimentos más salados y fuertes.

Ya en la vejez, tanto el hombre como la mujer van perdiendo la capacidad de regenerar sus tejidos, que se vuelven más secos y menos turgentes. La sustancia que a lo largo de la vida han ido acumulando en los tejidos, se desgasta y emerge el núcleo interior (yang, concentrado y activo en la mujer; y yin, diluido y pasivo en el hombre).

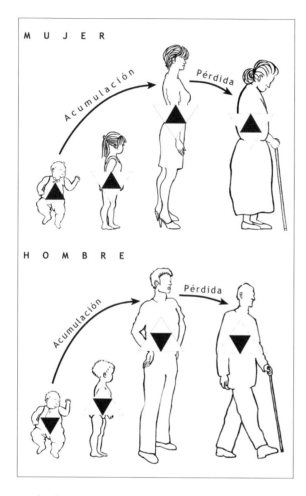

De hecho, para mantenerse joven lo que hay que hacer es regenerar esa sustancia año tras año, lo cual requiere de una alimentación que nutra la sangre, la esencia, la energía o el yang corporal, y la propia sustancia o yin corporal. En el apartado siguiente, nos extenderemos más sobre estos cuatro conceptos.

Cuando, en la tercera edad, el núcleo se convierte en predominante, a menudo los sexos intercambian sus papeles. Así, puede darse que una mujer que siempre haya tenido un carácter suave, dulce y flexible cambie, para volverse más arisca y dominante, más disciplinada y activa. Y viceversa: al perder su capa

externa yang, un hombre acostumbrado a llevar la iniciativa y cuyo carácter haya sido siempre autoritario y territorial, puede volverse suave, flexible, conciliador e incluso cándido.

La esencia, la sustancia y la energía

Hemos hecho referencia más arriba a la necesidad de nutrir la esencia. Pero, ¿qué es exactamente la esencia? Según las medicinas orientales —la tradicional china, la ayurvédica y la tibetana—, la esencia es una sustancia sutil que se acumula en los riñones y otros órganos vitales y que permite la regeneración y el crecimiento de los tejidos. De hecho, existen dos tipos de esencia: la prenatal y la posnatal. La esencia prenatal es la que heredamos de nuestros padres, esto es: la esencia de que disponemos al nacer. La esencia prenatal determina la fortaleza de nuestra constitución y la expectativa de vida. La esencia posnatal es la que obtenemos a partir de la digestión de determinados alimentos.

El ser humano consume esencia a diario, tanto prenatal como posnatal. Normalmente, el gasto diario de la primera es, aunque inevitable, mínimo; sin embargo, si uno dispone de poca esencia posnatal, consumirá más esencia prenatal de lo debido, y hay que tener en cuenta que cuando se acaba la esencia prenatal, morimos. Cuanta más esencia posnatal acumulemos, mejor conservaremos nuestra reserva de esencia prenatal, lo cual influirá en nuestra salud, nuestra vitalidad y nuestra capacidad para regenerarnos y mantenernos jóvenes. En la medicina tradicional china se conoce al cerebro como «el mar de la esencia»: y es que existe un vínculo muy estrecho entre la esencia y la capacidad intelectual, la capacidad de concentración, la fluidez mental, el volumen de recursos mentales y la capacidad para meditar, entre otras funciones y elementos. El cerebro, como veremos más adelante, está muy relacionado con los riñones.

La esencia es un elemento desconocido para la medicina occidental y, sin embargo, resulta indispensable tenerla en cuenta para entender el funcionamiento bioenergético del cuerpo humano. Los alimentos que la restituyen son, sobre todo, los granos —semillas, legumbres, cereales en grano—, así como los frutos secos, los aceites de primera presión en frío y el pescado. De ahí la importancia que deben tener en nuestra dieta.

Conviene reseñar que un grano entero, por ejemplo un grano de arroz, es rico en esencia porque conserva la capacidad de germinar, de producir vida. No ocurre así cuando se ha convertido en harina o sémola, o ha sido procesado y ha perdido su forma y sus cualidades. Por ello, con vistas a tonificar la esencia —algo fundamental en el tratamiento de muchas enfermedades[3]—, hay que saber cocinar los granos enteros de modo que no pierdan ese don esencial. Ya Aristóteles lo decía hace más de 2.300 años:

La materia contiene la naturaleza esencial
de todas las cosas, pero sólo de manera potencial.
Por medio de la forma, esa materia
se convierte en real o actual.

ACUMULACIÓN Y PÉRDIDA DE SUSTANCIA DURANTE LAS DISTINTAS PARTES DE LA VIDA

	Recién nacida	Niña	Adulta	Anciana
MUJER	▲	▲	▽	▲
	Recién nacido	Niño	Adulto	Anciano
HOMBRE	▽	▽	△	△

 SUSTANCIA EXPANSIVA

SUSTANCIA CONTRACTIVA

Obsérvese que la estructura energética que la sustancia y sus tendencias energéticas condicionan es muy similar en la infancia y la tercera edad.

La deficiencia de sustancia que el anciano/a adquiere con la edad produce una regresión al estado de la infancia.

3 La esencia puede convertirse en sustancia o en energía cuando el cuerpo está falto de ellas. Por ello, la esencia es el gran armonizador del organismo. Al desempeñar su función, los órganos y los tejidos consumen energía y pierden sustancia. La esencia regula la acción de los órganos y los tejidos, vinculada con el sistema simpático y su regeneración, vinculada con el sistema parasimpático. El desequilibrio simpático/parasimpático está en el trasfondo de toda enfermedad.

Además de la esencia, los órganos cuentan con otros tres componentes básicos: la energía o yang corporal, la sustancia o yin corporal —es decir, los fluidos corporales y los tejidos conjuntivo y de los órganos—, y la sangre, que es la que permite que la energía y la sustancia procedentes de los alimentos lleguen a los órganos. En cada órgano, la esencia es la encargada de mantener el debido equilibrio yin/yang, es decir, el equilibrio entre la sustancia y la energía, el equilibrio entre los sistemas simpático y parasimpático. En definitiva, la esencia se ocupa de que el órgano pueda desempeñar su función y se recupere y regenere adecuadamente.

La salud de nuestro cuerpo en general y la de cada órgano en particular dependen de esos cuatro elementos. Teniendo en cuenta que cualquier alimento incide sobre uno o más de ellos, haremos continuas referencias tanto a la energía como a la sangre, la sustancia y la esencia cuando abordemos las ventajas o desventajas de seguir un tipo u otro de dieta.

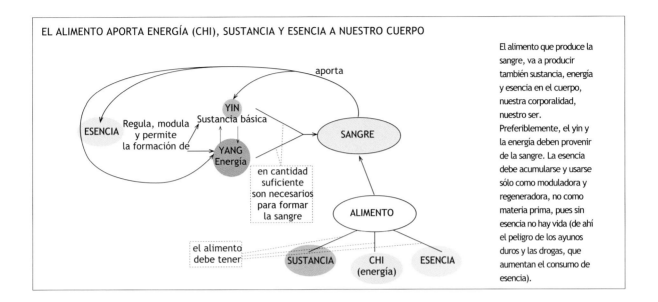

EL ALIMENTO APORTA ENERGÍA (CHI), SUSTANCIA Y ESENCIA A NUESTRO CUERPO

El alimento que produce la sangre, va a producir también sustancia, energía y esencia en el cuerpo, nuestra corporalidad, nuestro ser. Preferiblemente, el yin y la energía deben provenir de la sangre. La esencia debe acumularse y usarse sólo como moduladora y regeneradora, no como materia prima, pues sin esencia no hay vida (de ahí el peligro de los ayunos duros y las drogas, que aumentan el consumo de esencia).

LA SELECCIÓN DEL ALIMENTO

Criterios para comer mejor

Decíamos anteriormente que una de las leyes que gobierna la polaridad energética universal es que el yin y el yang se buscan mutuamente. Lo hemos comprobado al referirnos a la distinta constitución de hombres y mujeres y a cómo, desde la niñez, buscan compensar su núcleo, respectivamente más yin y más yang, con alimentos de polaridad opuesta. Esa atracción de lo yin por lo yang y viceversa responde a una búsqueda de equilibrio y armonía que es, a la postre, la que debe guiar nuestra alimentación. A lo largo del libro, veremos con detalle qué tipos de alimentos son más yin o más yang y la forma ideal de combinarlos para alcanzar ese equilibrio. Pero antes vamos a referirnos a otros argumentos muy significativos con vistas a saber qué hay que comer y qué hay que evitar comer.

En primer lugar, debemos atender a lo que nos revela nuestra dentadura. La dentadura de cada clase de animal responde a sus necesidades alimenticias y biológicas. Cada especie está programada biológicamente y tanto su dentadura como su aparato digestivo han evolucionado para adaptarse lo mejor posible al tipo de alimentación propio de la especie. Por ejemplo: la dentadura de un depredador, de un carnívoro, está compuesta principalmente por piezas afiladas y cortantes, con el fin de que pueda desgarrar con facilidad la carne.

La dentadura del hombre consta de treinta y dos piezas, veinte de las cuales son molares y premolares —es decir, piezas planas destinadas a moler—, ocho son incisivos —piezas especializadas en cortar— y las cuatro restantes son caninos —piezas puntiagudas, cuya función es desgarrar. En términos porcentuales, vemos que el 62,5% de nuestra dentadura está destinado a moler, el 25% a cortar y el 12,5% a desgarrar. Estos datos nos dan una idea muy aproximada de en qué proporción debemos consumir los distintos tipos de alimentos. Una dieta estándar debería estar compuesta de un 62% de cereales, legumbres y semillas, un 26% de frutas y verduras y un 12% de proteína, aproximadamente. Hay que añadir que según los individuos, los colmillos y otros dientes pueden ser más o menos afilados o planos, lo cual puede ser un indicativo de su mayor o menor necesidad de proteína animal; de hecho, diferencias de ese tipo se dan, por ejemplo, entre un esquimal y un caribeño.

Otro elemento que nos da pistas fundamentales para saber qué tipo de alimentación es la idónea es la evolución biológica de nuestro planeta, la evolución de las especies animales y vegetales.

En sus orígenes, la Tierra era una masa gaseosa, amorfa, que evolucionó hacia un estado de mayor densidad en el que los elementos líquidos y sólidos no existían como tales, sino que formaban una suerte de amalgama. Más adelante, se fueron delimitando progresivamente los tres estados típicos de la materia: el gaseoso en la atmósfera, el líquido

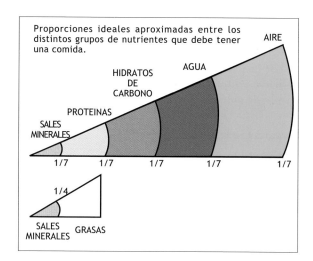

Proporciones ideales aproximadas entre los distintos grupos de nutrientes que debe tener una comida.

en el océano y el sólido en el continente primigenio. Conforme la atmósfera fue perdiendo densidad, la energía celeste, un factor básico para la vida, pudo llegar hasta la superficie del planeta de forma cada vez más intensa. La atmósfera pasó progresivamente de ser yang (densa, rojizo anaranjada), a ser liviana (etérea y azul), lo que permitió que de forma paulatina penetraran en ella mayor variedad de rayos cós-

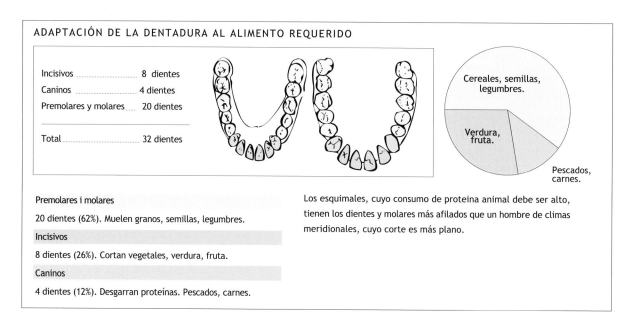

ADAPTACIÓN DE LA DENTADURA AL ALIMENTO REQUERIDO

Incisivos	8 dientes
Caninos	4 dientes
Premolares y molares	20 dientes
Total	32 dientes

Premolares i molares

20 dientes (62%). Muelen granos, semillas, legumbres.

Incisivos

8 dientes (26%). Cortan vegetales, verdura, fruta.

Caninos

4 dientes (12%). Desgarran proteínas. Pescados, carnes.

Los esquimales, cuyo consumo de proteina animal debe ser alto, tienen los dientes y molares más afilados que un hombre de climas meridionales, cuyo corte es más plano.

micos, y que lo hicieran cada vez con más fuerza. Este yang celeste, que ha ido entrando en la atmósfera terrestre desde tiempos remotísimos y lo sigue haciendo en nuestros días, propició la aparición de formas de vida cada vez más evolucionadas.

Dentro del reino animal, los primeros seres unicelulares y los invertebrados antiguos se alimentaban de musgos marinos y algas primitivas. Más adelante, aparecieron los primeros crustáceos, los celentéreos y algunas especies de peces. La vida comenzó a colonizar la tierra con los primeros musgos y líquenes terrestres, y otras especies vegetales. Surgieron los primeros anfibios, las plantas antiguas, los reptiles, las plantas modernas, las gramíneas, los mamíferos... El mundo vegetal iba nutriendo al animal y viceversa, al tiempo que la mayor variedad lumínica iba

aumentando la complejidad biológica de las especies. Hace dos o tres millones de años, en un momento en que la atmósfera estaba ya muy despejada y se producía ya una gran entrada de energía lumínica electromagnética, aparecieron las gramíneas y los cereales, vegetales muy cargados de energía electromagnética. Gracias a la ingestión de estos alimentos, los simios evolucionaron hacia los primeros homínidos. Y es que la diferencia entre los mamíferos superiores y el hombre es que éste está mucho más cargado de energía electromagnética, que es lo que le permitió, por ejemplo, adoptar la posición erguida.

Vemos, pues, que el animal yang más evolucionado, más cargado electromagnéticamente, se alimenta del vegetal yin también más evolucionado, más cargado electromagnéticamente.

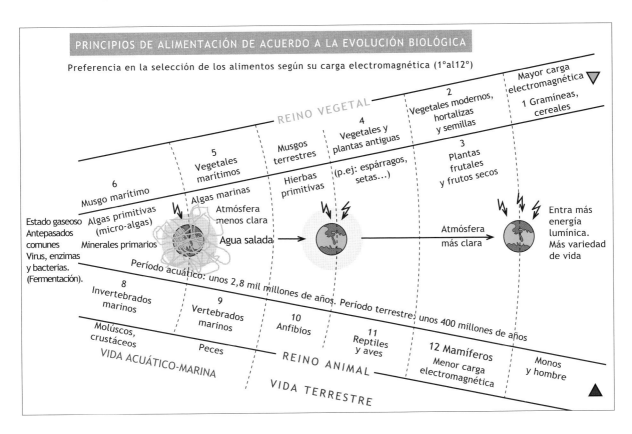

PRINCIPIOS DE ALIMENTACIÓN DE ACUERDO A LA EVOLUCIÓN BIOLÓGICA

Preferencia en la selección de los alimentos según su carga electromagnética (1°al12°)

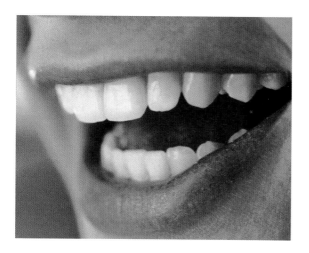

Aún hoy, un grano de arroz integral se emplea como cargador de energía; se usa, por ejemplo, en acupuntura para tonificar determinados puntos energéticos. Hace unos años, se encontraron en Egipto semillas de un trigo desconocido que habían permanecido guardadas en una vasija durante miles de años. Las semillas se plantaron y produjeron cosechas. Hoy, ese tipo de trigo se come y se comercializa con el nombre de *kamut*. Este dato nos da idea de la importantísima estructura energética que posee un grano y de la cantidad de energía que contiene. Los granos son la fuente primordial de energía electromagnética. Cuando se ingiere grano, su energía pasa al organismo y carga enormemente el cuerpo. De hecho, es imposible soportar una dieta basada únicamente, por ejemplo, en el arroz integral o el mijo. Y no se debe al hastío que puede producir comer solamente eso, sino que es imposible soportarla porque esos productos nos proporcionan una altísima carga energética, y el cuerpo exige otros alimentos yin que seden la energía. Todo el mundo vegetal es yin, pero las unidades de energía electromagnética yin que contiene un cereal son mucho más cuantiosas y de más amplio espectro que las de cualquier otro vegetal. De ahí que el consumo de cereales integrales, en grano preferentemente, aporte mucha más energía que el consumo de verduras y todavía mucha más que el de fruta.

Cereales: máxima energía

Hemos visto más arriba que el hombre es el animal que toma más energía celeste. Es más: nuestro desarrollo personal, mental y físico, y nuestra salud dependen de la absorción de una buena cantidad de ella, puesto que, como decíamos, las 7/8 partes de toda nuestra carga energética son o deben ser energía celeste. Necesitamos, pues, atraer el máximo de energía celeste, para después asimilarla y acumularla. Pero para atraerla y asimilarla convenientemente, resulta imprescindible poseer un buen yin interno. Y la mejor manera de asegurarnos de que disponemos de él son, sin duda, los cereales. Si, en general, los animales (que a *grosso modo* son yang) se alimentan de vegetales (que son básicamente yin), el hombre, que es el animal más cargado de energía celeste, debe tender a alimentarse del vegetal con más carga energética terrestre, que no es otro que el cereal. Cuando los cereales constituyen parte fundamental de nuestra dieta, atraemos y retenemos más energía celeste, que es esa energía yang que nos aportará más inspiración, más capacidad mental y de trabajo, más concentración, más resistencia, etc. Claro que podemos alimentarnos con otros vegetales con menor carga electromagnética, pero entonces no dispondremos de un yin tan energético (tan cargado), y no seremos capaces de retener la misma cantidad de energía yang, con lo que ni nuestra mente rendirá al máximo de sus posibilidades, ni tendremos la misma capacidad de resistencia física.

La energía celeste (yang) y la energía terrestre (yin) se atraen mutuamente. El cuerpo humano es un semiconductor en el que confluyen ambas. Puesto que lo yang y lo yang se repelen, si la carga del cuerpo es demasiado yang —por ejemplo, por haber consumido en exceso proteína animal—, el yang celeste no puede penetrar óptimamente en él y recorrerlo a través de sus meridianos, hasta llegar a los pies. Los cereales tienen la virtud de que poseen a un tiempo características yin y yang. Al ser plantas, son yin; pero como son compactos, redondeados y muy energéticos, son los vegetales más yang. Gracias a

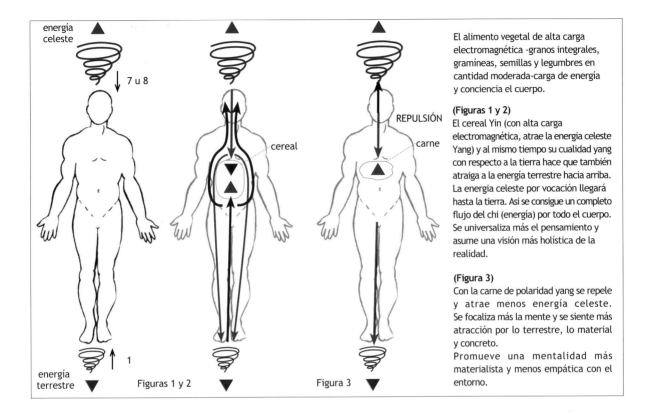

energía celeste

7 u 8

cereal

energía terrestre

Figuras 1 y 2

REPULSIÓN

carne

Figura 3

El alimento vegetal de alta carga electromagnética -granos integrales, gramíneas, semillas y legumbres en cantidad moderada-carga de energía y conciencia el cuerpo.

(Figuras 1 y 2)
El cereal Yin (con alta carga electromagnética, atrae la energía celeste Yang) y al mismo tiempo su cualidad yang con respecto a la tierra hace que también atraiga a la energía terrestre hacia arriba. La energía celeste por vocación llegará hasta la tierra. Así se consigue un completo flujo del chi (energía) por todo el cuerpo. Se universaliza más el pensamiento y asume una visión más holística de la realidad.

(Figura 3)
Con la carne de polaridad yang se repele y atrae menos energía celeste. Se focaliza más la mente y se siente más atracción por lo terrestre, lo material y concreto.
Promueve una mentalidad más materialista y menos empática con el entorno.

ello, atraen tanto a la energía celeste como a la terrestre, posibilitando que la energía electromagnética recorra convenientemente todo el organismo, con lo que los tejidos se regeneran y la esencia se tonifica.

La propia historia de la humanidad es también una fuente de argumentos en favor de una dieta en la que los granos (cereales integrales) desempeñan un papel fundamental. No en vano, los cereales han sido el alimento básico en todas las grandes civilizaciones en su camino hacia el esplendor: la cebada en el caso de la antigua Roma; el arroz en el de China; el trigo en Egipto; el maíz en el caso de los imperios maya y azteca; el mijo en el de los conquistadores españoles, etc. En muchos casos, asimismo, las personas más evolucionadas espiritualmente se han alimentado mayoritariamente de granos y verduras.[4]

4 Léase, por ejemplo, el Libro de Daniel en la Biblia: «Daniel y los tres jóvenes en la corte de Nabucodonosor»: [...] El rey ordenó después a Aspenaz, jefe de sus eunucos, que escogiese de entre los hijos de Israel algunos jóvenes de estirpe real y de familia noble: no debían tener defecto alguno. [...] El rey les asignó una ración diaria de la comida del monarca y del vino que él bebía. [...] Daniel tenía el propósito de no contaminarse con la comida del rey ni con el vino que él bebía, y suplicó al jefe de los eunucos que no le obligaran a contaminarse. [...] Sin embargo, éste le dijo a Daniel: «Temo que el rey, mi señor, que ha asignado vuestra comida y vuestra bebida, venga a encontrar vuestros rostros macilentos en comparación con los jóvenes de vuestra edad, y así terminéis haciéndome culpable de muerte ante él». Entonces, Daniel dijo al inspector a quien el jefe de los eunucos había confiado el cuidado de Daniel, Ananías, Misael y Azarías: «Haz una prueba, por favor, con tus siervos durante diez días: que nos den legumbres por comida y agua como bebida; después puedes comparar nuestro aspecto con el de los jóvenes que comen los manjares del rey y tratar a tus siervos con arreglo a lo que hayas visto». Aceptó él la propuesta y los puso a prueba durante diez días. Al cabo de este tiempo, su rostro apareció más bello y su aspecto más rollizo que el de todos los jóvenes que comían los manjares del rey. Desde entonces el inspector siguió retirándoles su ración de comida y su vino y dándoles sólo legumbres. Dios concedió a aquellos cuatro jóvenes saber e inteligencia en materia de escritura y sabiduría. Daniel, en particular, sabía interpretar toda clase de visiones y sueños. [...]. El rey se entretuvo hablando con ellos, pero entre todos los otros no encontró ninguno que pudiese compararse con Daniel, Ananías, Misael y Azarías [...] en sabiduría e inteligencia. Libro de Daniel 1 (1-21)

Por último, otro criterio fundamental a la hora de determinar cuál debe ser nuestra dieta es el que se deduce de la definición de salud. La salud no es otra cosa que la capacidad del organismo para adaptarse al medio que lo rodea. Si uno se adapta al medio físico, climático, social, laboral o familiar en el que vive, goza de buena salud física y mental. Si no lo hace, enferma física, mental o espiritualmente. Y ¿qué es alimentarse? Alimentarse es ingerir y asimilar elementos del medio en el que estamos inmersos para adaptarnos mejor a él. Puede decirse que, para amoldarnos a nuestro entorno, nos lo comemos. Visto de otra manera: si queremos amoldarnos óptimamente a nuestro entorno, debemos adecuar nuestra dieta a lo que él nos ofrece, sin olvidar nunca nuestras características individuales.

Resulta básico, por ejemplo, que nuestra alimentación se base en productos de la zona en la que vivimos y de la estación en la que estemos. Cuando tomemos alimentos de otros lugares del mundo, debemos procurar siempre que sean propios de zonas pertenecientes a nuestro hemisferio y que cuenten con un clima similar al de la región donde nosotros vivimos. Si viviendo en España tomamos regularmente fruta tropical, nuestro nivel de energía bajará y deberemos consumir, de forma habitual también, alimentos contrarios para compensar, lo cual a medio o largo plazo nos generará problemas al no ser ésa una forma mesurada de buscar el equilibrio dietético.

Las recomendaciones de la OMS

La Organización Mundial de la Salud publicó en 1991 un estudio nutricional de ámbito mundial, en el que habían participado importantes especialistas de distintos países y disciplinas, y que se realizó al margen de presiones de carácter corporativo por parte de los grupos industriales productores de alimentos. El estudio, muy riguroso, tenía como fin establecer una serie de recomendaciones nutricionales para la erradicación de las enfermedades crónicas de la civilización moderna. Sus conclusiones constituyen los principios más sólidos, avanzados y fundamentados científicamente de que disponemos hoy en día sobre los vínculos entre nutrición y salud. En la publicación que recogía los resultados de dicho estudio, la propia OMS advertía de que sus afirmaciones iban a chocar con intereses políticos, económicos y comerciales. No en vano, sus consejos dietéticos ponían en cuestión buena parte de lo que constituye la alimentación moderna. El gráfico de la página siguiente recoge sus conclusiones respecto a los porcentajes óptimos de cada nutriente.

Como vemos, la OMS establece que los límites de grasa en el cuerpo deben oscilar entre un 15% en el umbral inferior y un 30% en el umbral superior. Entrando en detalle, las recomendaciones hacen referencia a los ácidos grasos saturados, presentes en todo tipo de proteína animal terrestre, volatería incluida. La OMS establece el límite inferior de ingesta de este tipo de grasa en el 0% y el límite superior en el 10%, lo que es lo mismo que decir que si nos abstenemos por completo de tomar proteína animal de origen terrestre, lácteos y huevos, no pasa absolutamente nada y que, en el caso de que sí tomemos esos alimentos, debemos hacerlo muy moderadamente. En cambio, debemos ingerir ácidos grasos poliinsaturados en una proporción como mínimo del 3%. Los ácidos grasos poliinsaturados están presentes en los aceites vegetales de primera presión en frío, las semillas, las legumbres, los cereales en grano y, cómo no, en el pescado y las algas. De todo lo anterior se deduce, en definitiva, la conveniencia de no tomar colesterol, presente en toda proteína animal, sobre todo en la de origen terrestre.

LÍMITES DE INGESTA MEDIA POBLACIONAL		
GRASA TOTAL	LÍMITE INFERIOR	LÍMITE SUPERIOR
Ácidos grasos saturados	0% de energía	10% de energía
Ácidos grasos polisaturados	3% de energía	7% de energía
Colesterol en dieta	0 mg/día	300 mg/día
Carbohidratos totales	55% de energía	75% de energía
Carbohidratos complejos	50% de energía	70% de energía
Fibra dietética:		
Polisacáridos no feculentos	16 g/día	24 g/día
Fibra dietética total	27 g/día	24 g/día
Azúcares libres	0% de energía	10% de energía
Proteína	10% de energía	15% de energía
Sal	(e)	6 g/día

SUMARIO EJECUTIVO DE LA O.M.S. Sobre nutrición y enfermedades crónicas de la civilización moderna. Ginebra, 1991.

En lo referente a los hidratos de carbono, conocidos popularmente como «azúcares», la OMS recomienda ingerir carbohidratos complejos, es decir, verduras que tengan hidratos de carbono —como la zanahoria, que por eso es dulce, la cebolla o la col—, cereales integrales y legumbres. De ellos debemos obtener entre un 50% y un 70% de nuestra energía. La OMS no recomienda, en cambio, los carbohidratos refinados, presentes en la bollería, el pan blanco, la harina blanca, el arroz blanco, etc.

En cuanto a la fibra, la recomendación es que tomemos entre 16 y 24 gramos al día. Es decir, que hay que comer habitualmente verdura o productos integrales, porque son los alimentos que contienen fibra vegetal. Sin embargo, tampoco es bueno tomar tanta fibra como se aconseja a veces, porque se corre el riesgo de perder minerales, lo cual es especialmente pernicioso en el caso de la gente mayor. Un exceso de fibra produce, además, nerviosismo, gases, etc.

Respecto a los azúcares libres (azúcar, fructosa, miel, sacarina, aspartamo), azúcares mono o disacáridos de asimilación rápida, la OMS nos dice que deben constituir entre un 0% y un 10% del aporte energético que recibamos. Es decir, que, como en el caso de la grasa animal, la OMS no indica que debamos incluirlos en nuestra dieta. En el caso de que los consumamos, debemos hacerlo con moderación y mejor si lo hacemos comiendo fruta fresca. Los edulcorantes artificiales, como el aspartamo, afectan a nivel cerebral y nervioso —los niños no deberían consumirlos— e, incluso, se especula que fueron los causantes del síndrome del golfo Pérsico, que afectó a los soldados estadounidenses.

De las proteínas debemos obtener entre un 10% y un 15% de nuestra energía, con lo cual su ingesta debe ser moderada.

Y por lo que respecta a la sal, no debemos tomar, según la OMS, más de 6 gramos diarios.

Estas recomendaciones se traducen en el gráfico de la página siguiente, que nos indica en qué proporción debemos tomar a diario cada clase de alimento en volumen aproximado. Por ejemplo: es recomendable tomar entre un 3% y un 7% de algas, semillas y sopas. La sopa es una excelente forma de tonificar la digestión y de ingerir sales minerales.

Al decir que entre un 25% y un 35% de nuestra alimentación diaria debe estar compuesta por verduras, estamos hablando de tomar ensaladas y verduras cocinadas. En países vegetarianos por necesidad o tradición, como China, Vietnam o Japón, la ensalada cruda no se concibe como tal. No queremos decir con ello que la ensalada sea mala, pero no es desde luego

la forma idónea de obtener vitaminas. Es mucho mejor tomar vegetales cocinados durante al menos tres o cuatro minutos, pues de ese modo, aunque perdamos un pequeño porcentaje de vitaminas, ahorraremos mucho en fuego interno y vitalidad digestiva o, lo que es lo mismo, en la energía que deberemos emplear en su digestión.

Todo alimento nos exige que empleemos fuego interno para digerirlo, pero si procuramos no consumir energía alegremente, podremos invertirla en pensar, sentir, andar, correr o cualquier otra actividad. Si la digestión nos dilapida ese capital, perderemos vitalidad y capacidad de trabajo.

Cocciones muy cortas del vegetal permiten que éste conserve entre el 80% o el 90% de sus vitaminas, un porcentaje más que suficiente si tenemos en cuenta, además, que la ingestión excesiva de productos crudos puede provocar una debilidad digestiva que impide la correcta asimilación de las vitaminas por parte de nuestro organismo.

En definitiva, como regla general cuando tomemos verduras, que son una fuente óptima de vitaminas y minerales, las coceremos ligeramente (véase más adelante las recetas de verduras) para incrementar su digestibilidad. Reservaremos las ensaladas para cuando comamos pescado o marisco —alimentos yang que compensarán la tendencia expansiva de la ensalada—, o para cuando haga mucho calor o hayamos hecho mucho ejercicio, momentos en los que nuestro cuerpo, ya de por sí, las pedirá. La forma de nutrirse en verano es, o debería ser, muy distinta de la forma de hacerlo en invierno. En verano hace calor y hay mucha energía en el ambiente, energía de la que nuestro cuerpo se nutre, con lo que nos pide que comamos menos. Una ensalada refrescante es un plato indicado para esa estación. En cambio, en invierno la energía ambiental es mínima y la fuerza vital tiende a nutrir las zonas más internas del cuerpo. En invierno, uno no puede alimentarse a base de crudos, a no ser que sea una persona con una energía muy alta, con una digestión fuera de lo común y que necesite refrescarse interiormente, caso que, desde luego, no es el habitual. Lo normal cuando se abusa de los crudos es que el nivel de energía digestiva baje considerablemente: de hecho, cuando se toma ensalada muy a menudo, es frecuente que la barriga se hinche, que algunos alimentos repitan —el pepino, la cebolla, el pimiento, etc.— y que se sufra de flatulencias, sensación de cansancio o digestiones pesadas. Cabe decir, sin embargo, que en dietas ricas en carne, la ensalada tiende a compensar la energía contractiva y caliente, extremadamente yang, de aquélla.

Volviendo a las recomendaciones de la OMS, vemos en el gráfico que hemos elaborado a partir de ellas que conviene tomar diariamente entre un 3% y un 7% de algas, semillas y sopas. Tomar sopa es una excelente forma de tonificar la digestión y de ingerir sales minerales.

Las algas

Son una fuente excepcional de oligoelementos, vitaminas y minerales. Hay que tener en cuenta que las tierras de cultivo son, hoy en día, deficitarias en muchos minerales a causa de la explotación intensiva a que han sido sometidas. Las algas, pues, son una forma alternativa de obtener el magnesio, el cinc, el calcio, el manganeso, etc., y los oligoelementos que actualmente, o bien no se encuentran, o se encuentran en muy bajas proporciones en los vegetales terrestres que no son de cultivo biológico o biodinámico. Además, las algas ayudan a eliminar los residuos que acumula el organismo (residuos de lácteos, metales pesados, residuos de proteína animal, etc.). Son un excelente depurativo, especialmente para eliminar grasas animales, para limpiar las arterias, para las acumulaciones en la matriz o para prevenir los miomas en los ovarios o la tendencia a desarrollar quistes, especialmente de gran tamaño, entre otras aplicaciones. Por ello, es del todo recomendable tomar habitualmente una pequeña cantidad. Veámos algunos tipos:

Kombu:[5] Se cocina con el arroz y las legumbres y requiere un mínimo de una hora de cocción. Es rica en minerales y aceites poliinsaturados, y surte un efecto muy beneficioso sobre los sistemas nervioso, venoso y linfático. Es un remineralizante de primer orden y, por lo tanto, tiene un importante efecto alcalinizante. Haciendo un símil con la cocina no vegetariana, la podemos considerar el hueso de un plato de lentejas o de arroz. La cantidad en que puede tomarse es de aproximadamente 6 cm^2 al día. Debe quedar bien blanda.

Wakame:[6] Requiere solamente de uno a cuatro minutos de cocción, dependiendo del gusto de cada cual. Se toma en sopas y tiene unas propiedades similares a la *kombu*. Se puede consumir a diario una pequeña cantidad, teniendo en cuenta que se hincha después de ponerla en remojo, triplicando su volumen inicial. Es excelente para limpiar el sistema circulatorio y muy rica en calcio. Bien remojada se puede tomar cruda.

Hiziki:[7] Es el alga más rica en calcio. Para cocinarla, tras remojarla se cuece en una sartén con un poco de agua durante tres cuartos de hora. Se puede acompañar con cebolla y zanahoria. Es salada, sabrosa, y se puede condimentar con un poco de *shoyu*. Surte un efecto tonificante sobre el riñón que ayuda a quitar los miedos.

5 Ver receta de arroz integral (página 100, 102), receta de arroz integral con azukis (página 101).
6 Ver receta sopa de miso (página 84).
7 Ver receta (página 167, 186).

Arame:[8] Hay que cocinarla entre 5 y 20 minutos. Produce un gran efecto depurativo, especialmente indicado para la mujer y, en el caso de los hombres, para eliminar residuos de la próstata.

Nori:[9] Es muy rica en vitamina A. Se toma tostada, o hervida durante dos o tres minutos hasta que quede pastosa. Su color debe cambiar del negro inicial al verde cuando se tuesta a mano sobre el fuego. Es excelente para la piel y el cabello y para tratar cualquier problema cutáneo o de mucosas.

Agar-agar:[10] Es muy refrescante, ideal para preparar platos de verano. Se puede combinar con frutas y verduras en flanes o gelatinas. Tiene un efecto lubricante, refrescante y laxante sobre el intestino.

Las semillas

La más beneficiosa es el sésamo. El sésamo es altamente nutritivo y una excelente fuente de aminoácidos, concretamente de triptófano, un precursor de la melatonina y de la serotonina y, por lo tanto, un excelente regulador del sistema nervioso.

La melatonina es una hormona segregada por la epífisis o glándula pineal. Es la hormona reguladora del sueño y un factor muy importante para el correcto funcionamiento del sistema inmunológico. Hay estudios que relacionan los bajos niveles de melatonina con una mayor probabilidad de sufrir cáncer. De hecho, el prestigioso doctor Di Bella la incluye en sus protocolos anticáncer con gran éxito. Sintetizada, se receta en casos de trastornos del sueño, en procesos de ansiedad o angustia, e inclu-

so para contrarrestar los efectos del desajuste horario o *jet lag*. En Estados Unidos, se vende en parafarmacias. En España, sin embargo, está prohibida actualmente.

La serotonina, por su parte, es un neurotransmisor que produce sensación de bienestar y equilibrio. El prozac actúa permitiendo que haya más serotonina en los tejidos cerebrales, al igual que el hipérico o aceite de San Juan, el antidepresivo de moda. La serotonina no sólo ejerce un efecto sedante sobre el organismo, sino que también frena la acción que ejercen sobre las neuronas sustancias estimulantes como la adrenalina, la dopamina y la noradrenalina. Como a partir de los dieciocho años todos solemos tener la glándula pineal más o menos calcificada, la secreción de melatonina puede resultar insuficiente, con lo que la sensación de estrés puede aumentar. El triptófano se convierte así en un magnífico precursor.

---

8 Ver receta (página 166, 168).
9 Ver receta (página 104).
10 Ver receta (página 162).

Las semillas de sésamo deben tostarse y triturarse, a ser posible en un *suribachi*. El *suribachi* es un mortero de barro cuyas paredes no son lisas, sino estriadas, lo que permite que, cuando se muele el grano, se aplaste y se abra pero sin quedar triturado por completo. Asimismo, podemos utilizar a tal efecto un molinillo de café. En cualquier caso, debemos romper el grano, ya que de lo contrario se expulsa sin ser digerido. Sin embargo, si el grano se tritura en exceso se obtiene *tahín* o, lo que es lo mismo, puré de sésamo, un alimento que no atesora las mismas propiedades y que resulta más graso e indigesto.

Otras semillas muy recomendables son las de calabaza y las de girasol, que se venden peladas en los herbolarios.

Las frutas

El gráfico de la página 28 nos dice que la fruta debe constituir hasta el 5% de nuestra dieta diaria. Del mismo modo que en el caso de las verduras, debemos tomar las frutas del lugar en que vivamos y de la estación en que estemos —lo que se conoce tradicionalmente como «fruta del tiempo»—, para favorecer la adaptación del organismo al medio.

Si en invierno tomamos, por ejemplo, plátanos de Canarias u otra fruta tropical, alimentos expansivos que ayudan a adaptarse a la atmósfera expansiva y cálida propia del clima tropical, dificultaremos el proceso contractivo o de interiorización de la energía que debe desarrollar nuestro organismo en la época fría, momento en que la atmósfera, en un clima templado como el nuestro, se contrae. Puesto que el plátano es, como el resto de las frutas tropicales, un alimento de naturaleza termal fría que refresca el cuerpo y lo yiniza, enfriando la energía interior, el frío ambiental penetrará fácilmente en éste y podrá agredirlo sin obstáculos. Los constipados invernales se ven favorecidos muchas veces por el tipo de alimentación que seguimos: al estar consumiendo productos muy fríos y expansivos, difícilmente asimilables por el organismo en los meses fríos, nuestro cuerpo puede verse obligado a generar un proceso mórbido que le ayude a eliminar los residuos que esos alimentos generan cuando no se metabolizan bien. Otra cosa es que a un tenista que esté disputando un partido en pleno mes de febrero, le vaya muy bien tomarse un plátano en medio de la competición. Y es que en ese momento estará inmerso en un proceso de yanguización muy importante. Si estamos a pleno sol durante cuatro horas dando raquetazos, necesitaremos obviamente algo muy yin por mucho que estemos en febrero, pero ésas no son circunstancias muy comunes, y no son desde luego las de una persona sedentaria en un frío día de invierno, por mucho que su casa disponga de una potente calefacción.

Fruta peninsular, mejor

Por otra parte, viviendo en un clima templado, tampoco es bueno tomar en exceso alimentos muy expansivos en verano (fruta tropical, helados, refrescos fríos). Si lo hacemos, acumularemos residuos, que deberemos eliminar en otoño o invierno mediante fiebre, una gripe, una bronquitis, mucosidades, etc.

En el polo contrario, el consumo exagerado en invierno de proteína animal, un alimento extremadamente yang, produce asimismo acumulaciones de residuos en el organismo. Con la llegada de la primavera, tales acumulaciones serán un obstáculo para que el cuerpo se adapte a una atmósfera más expansiva; de ahí que en esa estación surjan desarreglos como astenia, cansancio, eccemas, alergias y otros problemas en la piel.

Siguiendo, pues, el criterio de que debemos tomar alimentos del entorno en el que vivimos, nos vamos a referir a las frutas propias de un clima templado como el de la Península Ibérica, arrinconando las de tipo tropical y subtropical (el plátano, la piña, la chirimoya, el limón, la naranja, el pomelo, etc.). Quizá sorprenda que incluyamos en esta lista a la naranja, una fruta tan habitual en nuestra cocina. Pero es que la naranja es un producto autóctono del sur del Mediterráneo (Túnez, Marruecos, Israel...). En el Levante español se cultiva con grandes esfuerzos y mediante abonos, insecticidas y pesticidas. No es una fruta del lugar, que crezca espontáneamente. Es sabido, además, que cualquier pequeña infestación arrasa allí un gran número de naranjales. Tomar naranjas tiene sentido en una dieta carnívora, para compensar el exceso de yang. En una dieta equilibrada, la naranja no es tan recomendable, pues si se abusa de ella puede causar, según nuestra experiencia clínica, problemas en el sistema venoso —varices, dilataciones venosas—, debido a su alto contenido en potasio y a que tiene trofismo por el sistema circulatorio.

En cuanto al consejo de consumir fruta del tiempo, hemos de tener en cuenta que en el período que va de noviembre a abril casi no hay fruta, exceptuando la fresa y el fresón, que no provenga de otros lugares o de las cámaras de conservación. Si optamos por tomarla, debemos saber adaptarla. Por ejemplo: en primavera, una manzana puede tomarse en compota o cocinada.

Clasificación de las frutas

Frutas de árbol o de aire: melocotones, ciruelas, nísperos, albaricoques, granadas, manzanas, peras, etc. Las hay desde las más yang (la cereza y el albaricoque, de naturaleza termal tibia), a las más yin (la ciruela y el higo). En principio, cuanto más pequeña, más rojiza y más compacta es la fruta, y cuanto más en su punto esté, más yang es también. Solemos buscar o, mejor, deberíamos buscar siempre las frutas más yang, dado que la fruta es por naturaleza un alimento yin. El higo, por ejemplo, es extremadamente yin: a pesar de ser un árbol autóctono, la higuera suele crecer sobre zonas telúricas que le dan una energía altamente yin. Algo parecido sucede con el caqui. Consumido regularmente, el higo suele acarrear problemas de salud: provoca mucha fermentación intestinal y favorece la aparición de herpes.

Frutas de tierra: fresa, fresón, arándano, mirtilo (arándano rojo), etc. Se trata de las bayas. Por regla general, la fruta de tierra es más yang que la de aire. Entre las de tierra, la frambuesa es la más yin y la fresa la más yang. La fresa es una fruta excelente, un tonificante renal de primer orden. Conviene tener en cuenta que existe una gran diferencia entre tomar fresas y fresones biológicos, y tomarlos industriales. Estos últimos están muy cargados de química, por lo que deben consumirse con moderación. En cambio, los biológicos pueden tomarse sin restricciones (si no se es alérgico a ellos, obviamente).

Existen dos frutas de tierra que no pertenecen al grupo de las bayas: la sandía y el melón. La sandía es más fría que el melón y, aunque menos nutritiva, es más fácil de digerir. El melón debe tomarse solo.

La fruta no debe tomarse nunca después de comer, a no ser que esté cocinada y bien condimentada con canela o jengibre,[11] porque tiende siempre a producir fermentaciones. Lo ideal es tomarla fuera de las comidas. En cualquier caso, las frutas crudas que menos alteran la digestión son la fresa y la sandía, aunque esta última no es recomendable cuando se padece de hinchazón de barriga, gases, cansancio, síntomas de falta de energía digestiva y frío interior.

Frutos secos

Su consumo es recomendable, preferiblemente cuando los hidratamos previamente. Como sabemos, más del 65% del cuerpo humano es agua. Si ingerimos alimentos secos, el cuerpo nos reclamará el otro extremo, y puede hacerlo de forma molesta: comer pasas o frutos secos en abundancia sin hidratar nos creará, muy probablemente, ansiedad. Las pasas de Corinto, los orejones o las uvas pasas pueden consumirse sin mayor problema cuando los empleamos para endulzar una crema de cereales o un postre, pues en esos casos se hidratan con la cocción.

El higo, seco o no, es demasiado extremo. Resulta del todo desaconsejable si se tiene tendencia a padecer infecciones víricas. En cuanto a la ciruela pasa, lubricante, expansiva y fría, podemos encontrarla de dos tipos: la californiana, que está generalmente muy quimicalorada, y la autóctona, que puede tener efectos beneficiosos en personas con sequedad y calor excesi-

11 Ver receta (página 216).

vos en el intestino, y que suelen sufrir además de estreñimiento. Sin embargo, si se sigue una dieta correcta, suele corregir el calor excesivo en el intestino, con lo que deberá consumirse sólo de forma esporádica. Por su parte, los albaricoques secos que encontramos habitualmente en el mercado deben su color anaranjado a colorantes azufrados. El albaricoque de cultivo biológico es de color caoba. El dátil también es un fruto extremo. Si uno vive en Marruecos no hay problema en consumirlo; en caso contrario, lo mejor es inclinarse por el dátil chino, pequeño y de color rojo, porque no es un fruto tan tropical. Una fruta seca muy recomendable es la ciruela *umeboshi* (que en japonés significa «ciruela salada»). Se trata de un *pickle* o encurtido de larga duración, es decir, que ha pasado por un largo período de fermentación y que se conserva durante mucho tiempo, porque se ha fermentado con sal. Se puede tomar regularmente (un tercio de ciruela todos los días) y es muy saludable, pues regenera la flora intestinal.

Esta ciruela tiene un efecto yang muy potente, porque ha pasado por un largo período de fermentación, en ocasiones de dos o más años de duración, y es muy salada. En Japón se utiliza como remedio en caso de diarreas o descomposición gastrointestinal, y cuando se ha tomado demasiado dulce o alcohol, pues contribuye a eliminar el exceso de acidez en el estómago y en la sangre, dado que es altamente alcalinizante. Además, estimula el funcionamiento del hígado, con lo que ayuda a desintoxicarlo. La ciruela *umeboshi* se puede tomar sola, cocinada con cereales o con *kuzu*. El *kuzu* es una raíz de gran tamaño que penetra en la tierra a

gran profundidad. Es muy yang y de ella se obtiene un almidón que ejerce un efecto medicinal contractivo potente pero suave sobre los sistemas linfático e intestinal. Es ideal para tratar todos los problemas linfáticos infantiles (por ejemplo, la amigdalitis), así como la falta de energía digestiva. Se puede añadir a casi cualquier plato o receta, ya que realza el sabor y da prestancia.

En cuanto a los frutos secos que están próximos a la categoría de semillas (las almendras, las avellanas, los piñones, las nueces, etc.), son productos aceitosos y ricos en ácidos grasos esenciales y proteínas. Se pueden consumir con regularidad en su época de recolección, aunque con menor frecuencia y en menor cantidad que las semillas. No deben tomarse solos, sino acompañando a otros alimentos (postres, cereales, estofados, etc.). De lo contrario, pueden ocasionar problemas por congestión linfática y hepática.

La almendra es uno de los mejores frutos secos que existen. De naturaleza termal neutra, lubrica el pulmón. Es mejor, en general, tomarla cruda que tostada. La nuez, por su parte, es de naturaleza termal tibia y un excelente tónico del riñón y el cerebro. Hay que consumirla en su temporada: el invierno. Se puede tostar ligeramente para matar las larvas que pueden parasitarla (estas larvas tienen trofismo hepático). Respecto a los cacahuetes, los pistachos y las avellanas, no conviene abusar de ellos. Los cacahuetes, por ejemplo, pueden producir cefaleas. Por último, es más que recomendable eliminar de nuestra dieta los anacardos, los frutos secos fritos y los frutos secos tropicales, como las nueces de Brasil, demasiado densas, expansivas, ricas en grasas saturadas e indigestas.

Proteínas

Si observamos el gráfico, vemos que debemos consumir como media diaria entre un 10% y un 22% de proteínas. Y es que otro aspecto muy importante a la hora de determinar qué comemos es la proporción de elementos nutritivos que debe haber en cada comida. En principio, debería guardarse una relación aproximada de 1 a 7 entre cada grupo de nutrientes y el posterior, teniendo en cuenta el orden siguiente: minerales, proteínas, hidratos de carbono, agua y aire. Dicho de otra manera: si consumimos una parte de minerales, debemos ingerir 7 partes de proteína, 49 de hidratos de carbono, y así sucesivamente con el agua y el aire (véase el gráfico de la página 22). Esta norma es válida para situaciones estándar de sedentarismo, no así en el caso de quienes necesitan más proteínas, como embarazadas, deportistas, niños, lactantes, personas con desnutrición, etc.

Veamos cómo el cuerpo nos pide de por sí que respetemos esas proporciones. Si vamos a tomar por ejemplo carne, es decir, proteína concentrada, lo primero que hacemos es ponerle sal, esto es, minerales. Mientras nos estamos comiendo la carne, ¿qué nos apetece? Pues, normalmente, patatas fritas, que son hidratos de carbono. Tras acabar la carne, nos apetecen aún más hidratos de carbono: tomamos un helado, una tarta o un postre dulce. Después de habernos comido todo eso, tendremos mucha sed y beberemos una buena cantidad de agua. Y, evidentemente, necesitaremos mucho aire para poder metabolizar todo ello. Precisaremos de una respiración superficial y rápida para eliminar el exceso de CO_2 producido por una alimentación excesivamente ácida.

Si queremos conseguir una alimentación equilibrada hemos de respetar las proporciones aconsejables entre los distintos nutrientes y tratar de evitar los alimentos que están fuertemente descompensados, pues de lo contrario el cuerpo nos reclamará otros alimentos extremos. Si no las respetamos, quizá consigamos cierto equilibrio, pero lo alcanzaremos forzando nuestro organismo.

En este punto, cabe hacer una advertencia a algunas personas que empiezan dietas vegetarianas sin muchos conocimientos sobre la materia: al intentar cambiar su alimentación, lo primero que hacen es abandonar la carne por completo y alimentarse a base de ensaladas, frutas, verduras, algún cereal... Al poco tiempo, estas personas sufren habitualmente de bulimia, insatisfacción, cansancio, etc. El motivo de ello suele ser la falta de proteínas y minerales. Y es que, como veíamos anteriormente, una media de un 15% diario de proteínas es necesaria. No basta, además, con tomar proteína de vez en cuando. Lo recomendable es tomarla en, al menos, dos raciones diarias.

Legumbres

¿Qué fuentes proteicas son las más recomendables? En primer lugar, una gran olvidada en la cocina moderna, no así en la tradicional: **la legumbre** (las lentejas, los garbanzos, la soja amarilla —siempre que esté bien cocinada—, el *azuki* —que aunque es algo menos proteica, es la única alcalinizante— y todas las judías cuya forma sea arriñonada). De todas las legumbres, la más yang es el *azuki*, que atesora una elevada concentración de minerales y resulta por ello muy beneficiosa para el riñón, que es un órgano con una altísima concentración de sales.

Sin embargo, para que la proteína de la legumbre se asimile bien, necesita complementarse con la proteína del cereal completo. Por lo tanto, la legumbre siempre debe tomarse acompañada por un grano (arroz, mijo, quinoa, etc.). La calidad proteica del conjunto será, entonces, sensiblemente superior a la de la suma de sus partes, al aportar ambos tipos de alimentos aminoácidos esenciales complementarios.

Cocinar legumbres

Algunas legumbres tienen entre un 25% y un 33% de proteína, un porcentaje francamente elevado si tenemos en cuenta que un bistec tiene entre un 18% y un 22%, dependiendo de lo grasa que sea la carne. Este dato nos indica que no es preciso comer, por ejemplo, una gran cantidad de lentejas. Con tomar una pequeña proporción, no más de un cuarto o un tercio del cereal, suele ser suficiente. Si uno toma más, se siente cansado, porque la legumbre es muy rica en proteína, en potasio y en elementos más bien yin. Si el plato se completa con algo de sésamo, que le aportará minerales, ácidos grasos, triptófanos y lisina, la combinación es perfecta, y mucho más saludable, proteica y equilibrada que un bistec con patatas. La legumbre, además, es excelente para el trabajo intelectual. Resulta ideal, por ejemplo, si uno tiene que estudiar. Sus aminoácidos, y en general su composición, facilitan un funcionamiento fluido de los neurotransmisores cerebrales.

Para su óptimo aprovechamiento, tanto las legumbres como los cereales tienen que estar bien cocinados. El arroz al dente o las lentejas duras son indigestos, y, en general, las legumbres poco hechas producen fermentaciones y gases. Por ello, lo mejor es que cocinemos estos alimentos hasta que queden un poco «pasados». Para hacerlos más digeribles, o en el caso de que tengamos un aparato digestivo no muy fuerte, se pueden cocinar con laurel, orégano, jengibre, alga *kombu*, zanahoria y cebolla, ajo y, si tenemos importantes problemas de gases, con algún otro carminativo añadido: semillas de comino, cardamomo, etc.

Por último, hay que señalar que las legumbres precocinadas tienen el defecto de que normalmente se preparan con bicarbonato o sosa, por lo que pierden vitaminas, sobre todo las del grupo B.

Respecto a otras fuentes de proteínas, conviene saber que los cereales, a pesar de contar con entre un 10% y un 17% de aminoácidos, lo cual no es poco, no atesoran todos los aminoácidos esenciales, al contrario que los llamados «supergranos», esto es, la quinoa y el amaranto. Una pequeña cantidad de estos granos complementa muy bien a cualquier cereal, de modo que es aconsejable recurrir a ellos cuando no dispongamos de legumbres. La quinoa es energética y nutritiva, y el amaranto es todavía más nutritivo. Una semilla muy rica energéticamente y que también contiene todos los aminoácidos esenciales es el sésamo, especialmente rico en triptófano, a diferencia de las legumbres y los cereales, con lo que los puede complementar a ambos. Otra fuente proteica vegetal de primer orden es la soja. Esta legumbre contiene todos los aminoácidos esenciales, por lo que no necesita complemento alguno, al igual que el *tempeh*. el grano de soja fermentado. Debe cocinarse durante un mínimo de 50 minutos.[12] Hoy se comercializa un tipo de *tempeh* supuestamente ya preparado para ser consumido. En realidad no lo está: ha hervido muy poco tiempo y debe hacerlo durante 20 o 25 minutos más; también se puede hacer a la plancha o en una sartén a fuego lento, cortado fino o en daditos.

La gran ventaja de todas estas legumbres y granos frente a otros alimentos, y concretamente frente a otras fuentes de proteínas, como lo son el tofu y el seitán –que, por otra parte, también contienen todos los aminoácidos esenciales— es que son ricos en esencia, lo cual les da un valor nutricional especial porque poseen la valiosa propiedad de nutrir y restituir la esencia del cuerpo. Nos detendremos en el concepto de esencia en el apartado siguiente.

Derivados de la soja

El tofu proviene de la soja y tiene apariencia de queso; de ahí que se le llame «queso de soja». Al igual que el *tempeh*, debe cocinarse, ya que crudo resulta demasiado frío, demasiado yin, y puede minar mucho el fuego digestivo, la energía digestiva. En cuanto a la leche de soja, al cabo de unas semanas de tomarla aparecen gases y digestiones débiles que nadie suele asociar con ella. La soja es una leguminosa, como las lentejas y los garbanzos. Su naturaleza es fría y su zumo también lo es, con lo que su consumo enfría el fuego interno y provoca, al cabo de cierto tiempo, la aparición de insuficiencias digestivas. Debe hervirse durante unos 25 minutos, añadiéndole agua si es necesario y un poquito de sal o alga *kombu*. El tofu, por su parte, es depurativo y nutritivo. Es una proteína que se asimila por completo y, cocinado, resulta muy fácil de digerir. El tofu es especialmente aconsejable para la mujer. Como hemos visto, la mujer es internamente más yang que el hombre, por lo que tolera peor la

carne, que es asimismo muy yang. Si la carne y los embutidos recalientan, secan y se acumulan en la zona de la matriz, y en nalgas y piernas, el tofu surte el efecto contrario: da frescura, turgencia y ligereza a los órganos femeninos.

Otro derivado de la soja es el nato, ligeramente menos rico en proteína. El nato procede también de la fermentación de la soja. Su textura es filamentosa y su olor es parecido al del queso roquefort. Se toma crudo, calentándolo ligeramente si está frío, y se sirve con cebollín y mostaza. Si no ha sido congelado, es rico en vitamina B[12]. Es un alimento magnífico para el buen funcionamiento del aparato urinario y genital de la mujer. Gran parte de los fitoestrógenos tan de moda hoy en día para tratar distintos problemas de la mujer, por ejemplo los derivados de la menopausia, se obtienen de la soja y, en concreto, del nato. Y conviene saber que el valor nutricional y regenerativo del alimento completo es muy superior al del principio activo de la hormona aislada. El nato no causa, además, los posibles efectos colaterales del producto químico tomado solo.

Otros derivados de la soja, que se emplean como condimentos, son el miso[13] y el tamari. En cuanto al miso, lo hay puro de soja o combinado con arroz, cebada,

12 Ver receta (página 188 y 190).
13 Ver receta (página 84 y 164).

trigo sarraceno, etc. En general, el más recomendable es el de cebada. El miso es un fermento de alto valor energético y nutritivo que atesora grandes propiedades depurativas, regula la flora intestinal, alcaliniza, tonifica los riñones y remineraliza. En resumen, una maravilla. Es efectivo, incluso, contra la radiactividad. Cuando se produjo el bombardeo de Hiroshima, había en un hospital de la ciudad un médico que conocía muy bien la dualidad yin/yang. Sabía, por lo tanto, que la radiactividad es muy yin, muy desintegradora. Él, su equipo y sus pacientes empezaron a comer una estricta dieta a base de arroz integral, algas y sopas de miso a diario. De ese modo, consiguieron librarse de padecer leucemia, cáncer de piel y otras enfermedades generadas por la radiactividad. Asimismo, tras el accidente de la central nuclear de Chernóbil, la venta de miso se disparó en el norte de Europa.

Sopa de miso

El miso es en realidad una pasta que habitualmente se toma disuelta en las sopas —media cucharadita de té por cada taza o plato sopero—, y que se añade al final

de la cocción para evitar que pierda sus fermentos vivos. Contiene enzimas y lactobacilos muy beneficiosos para la digestión y para otros procesos enzimáticos del organismo. Es una muy buena costumbre tomarlo regularmente, cada dos o tres días, en pequeñas cantidades y siempre disuelto en sopas, salsas o estofados; tomarlo con *tahín* sobre una rebanada de pan, algo que se suele hacer a menudo, resulta perjudicial para el hígado y los intestinos (ver recetas en la página 84).

Por su parte, el *tamari*,[14] o salsa de soja, es muy sabroso, y hay tendencia a tomar más de la cuenta. Si se toma crudo, su sal, como toda sal cruda, hace que sintamos necesidad de seguir comiendo o de tomar algo dulce. Se debe tomar cocinado o desbravado con limón o *wasabi* (mostaza de rábano rusticano), mostaza japonesa o jengibre, o como aliño, mezclado con aceite y vinagre (nunca se debe echar directamente sobre el arroz o el cereal, pues es demasiado contractivo y puede producir hipoglucemia y un exceso de contracción en la zona digestiva). Rico en minerales, vitamina B y aminoácidos, tonifica el sistema digestivo, el riñón y el corazón.

No debemos olvidar tampoco el *seitán*,[15] un producto derivado del gluten de trigo y que tiene un contenido proteico similar al de los alimentos anteriores. Se vende ya cocinado, porque durante su elaboración precisa ya de por sí de una cocción con *shoyu* bastante larga. Si no pasara por ese proceso, resultaría incomestible. No requiere, pues, que invirtamos mucho tiempo en prepararlo. Con pasarlo por la sartén es suficiente. El seitán se puede cocinar como la carne: se puede freír, se puede estofar, se puede rebozar, etc. Si está bien hecho, tiene una textura similar y suele gustar a los niños, por lo que puede introducirse fácilmente como sustitutivo de la carne. No conviene tomarlo si se es alérgico al gluten

---

14 Ver receta (página 96 y 118).
15 Ver receta (página 191, 192, 194, 196, 152, 139).

(ver recetas en la página 191, 192, 194, 196, 152, 139). Tanto el tempeh como el tofu y el seitán son perfectamente asimilables, de fácil digestión y, como hemos dicho, contienen todos los aminoácidos esenciales. No es necesario complementarlos con ningún cereal.

Por otra parte, conviene saber que la combinación de cereal integral y legumbre tiene un valor proteico similar al de un bistec. Si a la combinación le añadimos sésamo triturado, su valor proteico es superior al de la carne. Y si le sumamos un poco de amaranto o quinoa, alcanza un poder nutricional que deja muy atrás a cualquier carne o huevo.

- Cereal integral + legumbre = bistec
- Cereal integral + legumbre + sésamo triturado > bistec
- Cereal integral + legumbre + sésamo triturado + quinoa o amaranto >> bistec

Entre las virtudes de la proteína vegetal figura el hecho de que deja muy pocos residuos Las heces están formadas en una tercera parte por células muertas del intestino; otro tercio lo constituyen restos alimenticios, generalmente fibra, y el tercio restante son bacterias procedentes de la flora intestinal. Estas bacterias provienen, a su vez, de la descomposición de los alimentos que hemos ingerido, lo que demuestra la estrecha relación que existe entre nuestra flora intestinal y lo que comemos. La ventaja de la proteína vegetal es que al descomponerse no produce ni putrecina, ni cadaverina, ni otros subproductos que sí genera la descomposición de la proteína animal. En su proceso de descomposición, un animal se pudre; en cambio, un vegetal fermenta. El proceso de descomposición vegetal es, por lo tanto, mucho más limpio, más higiénico, de consecuencias más saludables. La descomposición en el intestino de la proteína animal produce una serie de bacterias nocivas —en perjuicio de otras poblaciones bacterianas beneficiosas—, que no sólo no

ayudan a la asimilación de vitaminas y minerales, sino que, además, generan una serie de residuos más o menos tóxicos que pasan a la sangre durante el proceso digestivo, aumentando el nivel de urea, de nitrosaminas y de otros elementos indeseables que posteriormente afectarán a distintas partes y funciones del organismo.

Pese a todo lo anterior, en nuestro clima no hay mayor problema en tomar algo de pescado salvaje.[16] La descomposición del pescado es menos tóxica que la de la carne (siempre que se trate de pescado salvaje y no del criado con piensos en piscifactorías). Sin embargo, la putrefacción no deja de producirse. ¿Qué podemos hacer para que los residuos de la digestión de ese pescado no nos estropeen la flora intestinal y nos afecten lo menos posible? Acompañarlo siempre con algo verde: una ensalada,

unas verduras al vapor, también limón o, siempre que nos sea posible, rábano rallado, que ayuda mucho a la digestión y a eliminar la grasa. De esta manera, compensaremos el plato.

Hemos de intentar evitar los pescados de piscifactoría, que son alimentados a base de harinas con parte de piensos de origen animal. Entre las especies que se crían de ese modo se cuentan el rodaballo, la dorada, la lubina, el salmón y la trucha. Podemos distinguir su origen por su textura, que es un poco harinosa, y por su sabor, que recuerda vagamente al del pollo. También son alimentadas con harinas ciertas gambas congeladas muy baratas y que se importan de Oriente.

En el futuro una alimentación sana estará cada vez más reñida con el pescado. Quien quiera alimentarse del mejor modo posible tenderá cada vez más a consumir productos vegetales, pues buscará fuentes de alimentación ecológicas y biológicas que estén bajo control, y el mar no lo está. En casos como el del Mediterráneo, que es un mar relativamente pequeño, la calidad biológica del pescado menguará progresivamente a causa de la gran cantidad de elementos contaminantes que vierten los países ribereños. Con las algas puede pasar algo similar; sin embargo, las algas tienen a su favor una gran capacidad depurativa y antidegenerativa.

En cuanto al último apartado del gráfico, los cereales, atendiendo a la OMS, deben erigirse en nuestro alimento principal. Tienen que constituir entre el 40% y el 60% de nuestra alimentación diaria.[17]

A modo de resumen de lo que se deduce de las recomendaciones de la OMS, he aquí el listado de lo que hay que comer y de lo que hay que evitar comer.

16 Ver receta (página 200, 202, 204).
17 Para más información específica sobre los cereales y otros grupos de alimentos, remítanse, por favor, al libro *Nutrición energética y salud*, del mismo autor y editado por Editorial Grijalbo y Debolsillo.

ALIMENTOS RECOMENDADOS

- Cereales integrales, verduras y frutas frescas de la estación y algas (cultivados orgánicamente, a ser posible).
- Legumbres variadas, como la soja y sus derivados (tofu, tempeh, miso, *shoyu*...).
- Verduras fermentadas o encurtidas (*pickles*).
- Pescado y, en general, frutos de mar.
- Huevos orgánicos —de gallina de corral, no alimentada con piensos— o, si es preciso, en climas muy fríos u otras condiciones especiales, carne de aves criadas naturalmente (conviene tomarla sólo de forma esporádica).
- Hierbas, sal marina, salsa de soja natural, miso sin pasteurizar y otros condimentos naturales, en cantidades moderadas.
- Semillas de sésamo, girasol, calabaza, cáñamo y frutos secos.
- Aceites de primera presión en frío —de sésamo, de lino, de germen de trigo, de oliva virgen, etc.—, tahín (mantequilla de sésamo). El tahín se emplea en salsas. El consumo diario medio de grasas de cualquier tipo no ha de sobrepasar las tres cucharadas soperas (en una persona de 65 kg).
- Fruta de temporada, melaza de arroz y melaza de cebada, pasas, orejones... Son fuentes de sabor dulce.
- Agua de manantial.
- Infusiones de hierbas tradicionales, como la menta y la manzanilla, té verde o té de rama tostados (*bancha* y *kukicha*), cafés de cereales.

ALIMENTOS CUYO CONSUMO CONVIENE EVITAR O REDUCIR

(De mayor a menor importancia)

- Azúcar, miel, sacarina y endulzantes químicos.
- Carnes, huevos, pollo y embutidos (muy especialmente cuando se trate de productos no criados naturalmente).
- Aceites refinados, margarinas y alimentos elaborados mediante procesos químicos que contengan antioxidantes, colorantes, etc.
- Alimentos transgénicos.
- Alimentos irradiados para su conservación.
- El café y el alcohol (aunque el consumo muy moderado de un vino tinto de muy buena calidad puede ser conveniente para algunas constituciones y digestiones).
- Aceites refritos.
- Vinagres comerciales.
- Fritos.
- Pan y, en general, horneados que no hayan sido elaborados con ingredientes biológicos y levadura madre (aunque si se disfruta de buena salud, el cuerpo los tolera mejor).
- Frutas tropicales o que no sean de la temporada.
- En general, los alimentos muy fríos o muy condimentados.
- Pescado de piscifactoría.
- Pan, pasta, arroz blanco y harinas refinadas.

Alimentos que debemos considerar

Hay que tener en cuenta que, aunque el hombre, al ser el último eslabón de la cadena evolutiva, puede comer de todo, no debe alimentarse de todo. Como hemos dicho, cada especie cuenta con una serie de alimentos idóneos para su supervivencia, su salud y su desarrollo. Al hombre le ocurre exactamente igual. Muchos síntomas, dolencias y dificultades tanto físicos como psíquicos y emocionales, experimentados en un momento determinado, están directamente vinculados con lo que se ha comido en las últimas 24 horas o en los últimos días. Sin embargo, el caos energético y la falta de conciencia y de sensibilidad nos impide relacionar el cansancio con el excesivo consumo de fruta, la inestabilidad emocional con el azúcar o la agresividad con la carne, por poner algunos ejemplos.

Existen innumerables razones de tipo biológico, bioquímico, nutricional y médico para prescindir de los alimentos que hemos enumerado. Para hacerlo, debemos incluir de forma progresiva en nuestra dieta alimentos más sanos que los sustituyan, de modo que en un plazo prudente podamos mejorar nuestra salud y nuestro estado de ánimo y aumentar nuestra vitalidad.

Los endulzantes

El azúcar, tanto el blanco como el moreno, tiene múltiples efectos negativos sobre el organismo, así como la miel, la sacarina, la fructosa, el sorbitol y el aspartamo y otros endulzantes artificiales: todos ellos ejercen un gran efecto desmineralizante y acidificante —que ocasiona, entre otras cosas, caries y deficiencias de calcio en la estructura ósea—, elimina del organismo el complejo vitamínico B, altera la flora intestinal, provoca un brusco aumento de los niveles de glucosa en la sangre, desprende elementos químicos procedentes de su proceso de fabricación, etc.

En cuanto a la miel, la pura y sólida (procedente exclusivamente de panales de abejas silvestres y que no ha sufrido tratamientos de ningún tipo), es, en pequeñas cantidades, una buena medicina para determinadas dolencias. El problema surge cuando la miel se depura y se calienta para licuarla. En ese caso, pierde sus propiedades. Otro *pero* que hay que ponerle a la miel es que la que encontramos habitualmente en los comercios, no es miel de flores; en gran parte, se trata de miel «de azúcar», pues para que la producción sea más rápida, se acostumbra a facilitar azúcar a las abejas. Nos topamos entonces con que las cualidades medicinales de la miel ceden el paso a los efectos indeseables del azúcar. Por otra parte, la miel es de naturaleza caliente y muy acidificante, con lo que tiene efectos desmineralizantes si se consume regularmente.

La fructosa, que se recomienda en muchas ocasiones como sustitutivo del azúcar, está especialmente contraindicada, por su efecto aterógeno, sobre todo en el caso de las personas diabéticas. Se receta porque no aumenta el nivel de glucosa en la sangre, pero en otros aspectos tiene unos efectos muy similares a los del azúcar; provoca, además de arteriosclerosis, un aumento de los triglicéridos en sangre; y, debido a su efecto altamente yin (expansivo), puede agravar la debilidad energética del páncreas (la fructosa comercial es un producto altamente refinado, con un poder endulzante que prácticamente dobla el del azúcar). Por último, hay personas que son alérgicas a ella.

En cuanto a la sacarina, se especula con que puede tener efectos cancerígenos sobre las vías urinarias. El sorbitol favorece la aparición de cataratas, por lo que las personas diabéticas que corren más riesgo de sufrirlas, no deberían consumirlo. Finalmente, el aspartamo es neurotóxico,[18] y está especialmente contraindicado en la alimentación infantil.

Los beneficios del dulce

Pese a lo que acabamos de decir sobre los endulzantes refinados, resulta que el dulce es un sabor tónico y nutritivo, necesario para la salud. Es más, debe ser el sabor más presente en nuestra alimentación, con lo que no cabe duda de que debemos tomar cosas dulces.

El problema de los endulzantes refinados que hemos citado es que son tan artificiales y extremados que pasan de ser nutritivos a resultar perniciosos. Existe un gran tópico relacionado con el azúcar, similar al del calcio con la leche. Se suelen asociar los hidratos de carbono o «azúcares» con el azúcar exclusivamente. Y ahí empieza la confusión. Si bien resulta imprescindible ingerir carbohidratos, pues es de su oxidación de donde las células extraen la energía necesaria para sus procesos vitales, existen muchos tipos de alimentos que contienen hidratos de carbono, desde el azúcar y la fruta hasta los cereales, pasando por las verduras, las raíces, los tubérculos, las legumbres, los frutos secos o las semillas. Lo conveniente es descartar los azúcares simples —monosacáridos y disacáridos— en favor de los azúcares complejos o polisacáridos, que no tienen los efectos extremos y nocivos de los ante-

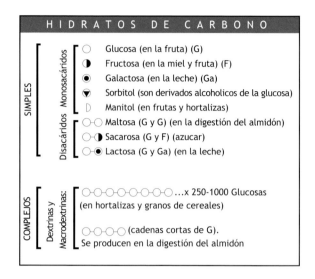

riores. Los polisacáridos son de asimilación lenta y están presentes en los cereales, junto con todos los minerales, enzimas y vitaminas necesarios para su metabolización.

Los azúcares simples monosacáridos son la galactosa, la glucosa y la fructosa. Los azúcares disacáridos —la sacarosa, la lactosa y la maltosa— están compuestos por cadenas de azúcares simples. Una molécula de fructosa y una de glucosa forman una de sacarosa. Una de galactosa y una de glucosa forman una de lactosa. Dos de glucosa forman una de maltosa.

Los polisacáridos son los que contienen más de dos unidades de glucosa. Es el caso, por ejemplo, del almidón, formado por una cadena larga de glucosas y que está presente en las hortalizas, las legumbres y los cereales. Los azúcares monosacáridos y disacáridos, por su parte, están presentes en los endulzantes comerciales (la miel es rica en fructosa y el azúcar en sacarosa), en la leche (rica en lactosa), y en la fruta (rica en sacarosa). Se trata de azúcares de asimilación rápida que, para su combustión, necesitan robarle al

---

18 Se encuentra en muchas bebidas *light*, chicles sin azúcar, etc.

organismo vitaminas del complejo B y distintos minerales. En cambio, los polisacáridos, como el almidón, se liberan mucho más lentamente en el intestino, con lo que no producen fluctuaciones en el nivel de glucosa en sangre y, además, aportan los nutrientes necesarios para su combustión, gracias a lo cual no desmineralizan el organismo.

¿Cómo podemos sustituir los carbohidratos que nos aportan los endulzantes comerciales? En primer lugar, con la cocción adecuada y la masticación de cereales, verduras, legumbres, semillas, etc., que son los mejores dulces que existen. En segundo lugar, en los casos en que queremos endulzar la leche, el té o un postre, podemos recurrir a las *melazas*. Las hay de distintos cereales: de *arroz*, de *cebada*, de *maíz* o de *trigo*. La más nutritiva es la de cebada. Las melazas son productos muy ricos en maltosas, muy fáciles de digerir y que, a diferencia del azúcar, aportan minerales y vitaminas y no producen bajadas de glucosa en la sangre. También son fuentes de sabor dulce el regaliz, que preparado en infusión es relajante y armonizante, y la raíz de *stevia*, que se comercializa en extracto, en forma de polvillo blanco (de aspecto similar al azúcar) o líquido, y que tiene un gran poder endulzante. La raíz de stevia, a diferencia de otros dulces, no produce humedad; es más bien secante. Es muy recomendable para las personas que tienen flemas y humedad en el cuerpo. También la pueden tomar quienes sufren de diabetes y, además, no produce caries. Otros buenos endulzantes son las *pasas*, los *orejones*, las *pasas de Corinto* y las ciruelas pasas, ideales para endulzar cualquier guiso, crema, papilla, muesli, etc. Si se cortan en pequeños trozos, tienen un poder endulzante muy elevado.

Asimismo, para endulzar podemos recurrir a las mermeladas y a las compotas de fruta procedentes de cultivos biológicos, que no contienen azúcar ni fructosa y que se comercializan en tiendas de productos naturales. Las mermeladas y compotas hechas de bayas (fresa, frambuesa, mora...) son especialmente recomendables: son de las más equilibradas —en cuanto a la relación expansión/contracción— porque proceden de las frutas más yang (las de tierra).

Como vemos, existen dulces muy aconsejables. Sin embargo, todos los dulces acidifican en mayor o menor grado, cosa que, como veremos más adelante, deberemos tener en cuenta a la hora de buscar el equilibrio ácido/alcalino.

> Asimismo, debemos sustituir, en la medida de lo posible, las harinas y el arroz blanco por sus equivalentes integrales. Si comemos fuera de casa, es preferible tomar pasta blanca a arroz blanco, pues es más nutritiva, ya que conserva parte de las proteínas de la cáscara.

Los lácteos

Generalmente, gran parte de las alergias e intolerancias alimenticias desaparecen al eliminar de la dieta el azúcar y los lácteos. Conviene saber que un gran número de alergias de origen alimenticio se esconden bajo los más diversos síntomas. Uno puede

tener, por ejemplo, dolores de cabeza, sinusitis, dolores reumáticos o cambios de humor y, en realidad, estar sufriendo una alergia alimenticia.

En general, los lácteos producen mucosidades y contribuyen a que aparezcan enfermedades respiratorias (bronquitis, sinusitis, asma, etc.) y, en combinación con el azúcar y la carne, problemas de tipo reumático y arteriosclerótico. Por lo que respecta en concreto a la leche de vaca, conviene saber que las vacas están tratadas con antibióticos, medicamentos y piensos, los cuales no resultan beneficiosos para la salud humana. La leche de vaca es, además, muy rica en hormonas de crecimiento, por lo que hay quien la vincula con el desarrollo del cáncer, dado que esas hormonas estimulan el crecimiento de los tejidos. Por otra parte, los helados, combinación de leche y azúcar, son responsables de muchas otitis y otros desarreglos auditivos y también de muchos problemas de garganta (amígdalas y faringe).

La leche es un alimento adornado de tópicos, por ejemplo, el del calcio. Evidentemente, los lácteos son muy ricos en calcio, pero para que el cuerpo pueda asimilarlo adecuadamente necesita contar con otros elementos, como son el magnesio, el boro o la vitamina D. Y la leche es muy pobre en magnesio. De ahí la paradoja de que en muchos países en que se consumen grandes cantidades de calcio haya mucha gente que sufra de osteoporosis. En cambio, en los países orientales, donde no se toma leche de origen animal, se dan muchos menos casos de osteoporosis. Y es que no es tan importante el aporte de calcio como el equilibrio dietético general. Debido a su carácter frío y a que es un alimento de difícil digestión, la leche, además, ejerce un efecto sedante sobre la energía digestiva en general y sobre la secreción gástrica en particular, con lo que se puede dificultar la absorción del calcio.

El calcio

Por otra parte, algunos investigadores defienden que las proteínas que contiene la leche, como la caseína, dificultan la absorción del calcio por parte de los tejidos y favorecen que sea expulsado en la orina. Asimismo, se sabe que la excesiva ingestión de fósforo inhibe la absorción de calcio por parte de los huesos, y tanto la leche como la carne son muy ricas en fósforo. Con lo cual, las dietas hiperproteicas, ricas en carne y lácteos, se convierten en un gran obstáculo para que nuestros huesos asimilen adecuadamente el calcio que ingerimos.

Por suerte, el calcio está presente en muchos otros alimentos, combinado con los elementos necesarios para su correcta asimilación. Podemos destacar como fuentes ricas en calcio las algas, las semillas (especialmente, el sésamo, muy rico también en otros minerales, como el magnesio), las legumbres, las verduras en general y las crucíferas en particular (la col, el brócoli, etc.).

De hecho, el problema no es sólo si ingerimos suficiente calcio, sino también si el tipo de dieta que seguimos consume nuestras reservas de calcio y, por extensión, del resto de minerales. ¿Qué alimentos lo hacen? Todos los que acidifican nuestra sangre y nuestros tejidos. En primer lugar, y de forma destacada, los azúcares simples y el alcohol. También producen los mismos efectos el exceso de proteína animal, las grasas, los fritos y los alimentos ricos en fósforo (carnes rojas, embutidos, refrescos, etc.).

Por otra parte, ¿por qué se calcifican algunos órganos? Precisamente porque el calcio, muchas veces presente en demasía en el organismo a causa de un elevado consumo de lácteos, es utilizado por el cuerpo como elemento mineral para paliar el exceso de acidez en los tejidos.

A pesar de lo que acabamos de decir, la leche no deja de ser una emulsión de proteína y grasa, con lo que deviene una buena fuente nutritiva. Lo que debemos saber es que podemos optar entre leches de origen animal y leches de origen vegetal. Ya hemos comentado algunos de los defectos de las primeras, pero es que, además, no hemos de olvidar que cuando tomamos leche de vaca ingerimos, a la vez, una elevada cantidad de hormonas y fármacos que han sido suministrados al animal durante su crecimiento y para aumentar su rendimiento. Ciertamente, los niños alimentados con leche de vaca crecen más rápidamente, se desarrollan estructuralmente más deprisa, pero no sucede lo mismo a nivel cerebral, ni en lo que respecta al sistema nervioso. La leche de vaca está «diseñada» por la naturaleza para lograr que un ternero crezca rápidamente, no para el crecimiento de un bebé humano. Existen estudios que demuestran que la cantidad de aminoácidos de la leche de vaca, así como la calidad de éstos, distan mucho de la cantidad y la calidad de los aminoácidos de la leche materna, y, por ello, el niño no puede metabolizar algunos de los aminoácidos presentes en exceso en la leche de vaca, con lo que se acumulan en las bases cerebrales. Las leches vegetales resultan mucho más recomendables por su composición y naturaleza: no contienen caseína ni el contenido en grasas saturadas y proteínas con efecto antigénico, es decir,

creador de alergias, que contiene la de vaca. En el mercado, podemos encontrar leche de soja, de avena, de arroz, de quinoa, de almendra, de castaña y de avellana. Esta última sólo es recomendable en combinación con otras o cuando se emplea en repostería o en la preparación de algunos platos. Para un consumo regular, las más equilibradas son la de avena, la de arroz y la de almendras, pero siempre serán más digestibles tras haberlas hervido durante al menos tres, cuatro o cinco minutos. Se pueden hervir uno o dos litros de leche y después guardarlos en la nevera. Al hervirlos, debemos añadir una pizca de sal, que no modificará su sabor; al contrario, lo realzará. Ocasionalmente se puede tomar leche sin hervir, pero, incluso si uno cuenta con una buena capacidad digestiva, el consumo regular de leche cruda, aunque sea vegetal, le puede acabar afectando a medio plazo.

Productos congelados y enlatados

Debemos intentar evitar su consumo sistemático. Y es que, cuando una célula se congela, pierde vitalidad. Los congelados, por cocinados que estén, provocan cierto adormecimiento del fuego interno, esto es, menguan la energía. Esto puede uno apreciarlo, claro está, si se alimenta mayoritariamente de congelados; no en el caso de un consumo esporádico.

En cuanto a los alimentos enlatados, ocurre con ellos algo similar a lo que sucede con los congelados: son productos desvitalizados. Cuando los consumimos,

tendemos a compensar la falta de energía que percibimos con estimulantes como las especias, el café, el chocolate, las bebidas estimulantes, etc. El bajón energético que provocan los alimentos enlatados se nota especialmente cuando tenemos que pensar: tras consumirlos, podemos encontrarnos más débiles mentalmente y embotados, y no conseguir que las ideas fluyan igual de bien, no conseguimos que la creatividad se despierte. Además, los alimentos enlatados contienen muchas veces productos químicos que pueden afectar a nuestro metabolismo o a nuestro sistema endocrino (caso, por ejemplo, de los bifenoles con efecto estrogénico y feminizante).

En general, muchas conservas y alimentos enlatados van acompañados de una cohorte de conservantes, colorantes, potenciadores del sabor, estabilizantes, espesantes, etc., muy provechosos para la logística del sistema alimentario comercial, pero en muchos casos potencial o decididamente nocivos para la salud.

La carne

En el caso de que se desee comer, la recomendable es la de origen ecológico. La que no tiene ese origen es poco segura, debido a los tratamientos que sufren y el tipo de alimentación que siguen los animales, asunto suficientemente conocido gracias al escándalo de las «vacas locas». El pollo y los huevos comerciales son poco recomendables. Los huevos de granjas de producción intensiva están contaminados con salmonela y parasalmonelas, bacterias que pueden producir salmonelosis si el huevo no se cocina bien. La toxicidad de ese tipo de huevos puede calibrarse al cocinar un huevo duro. La capa verde que queda alrededor de la yema nos habla de la pureza del huevo: cuanto menos verde tiene, mayor es la calidad del huevo. Recordemos que la gallina elimina parte de la toxicidad y los residuos a través de los huevos.

Desde el punto de vista energético, los huevos son muy yang, de modo que nuestro organismo reclamará otros alimentos que compensen ese exceso, como azúcar o chocolate. También son muy ricos en colesterol y grasas saturadas. Son muy proteicos, pero al ser un alimento extremadamente contractivo debemos consumirlos esporádicamente, y siempre que los tomemos debemos procurar que sean de origen biológico y, a ser posible, germinados. Lo mismo debemos intentar en el caso de que tomemos pollo: conviene que sea de corral, biológico, porque los de granjas intensivas están enfermos, han sido tratados con antibióticos y hormonas y han sido alimentados con piensos, por lo general, de discutible calidad. Si tomamos huevos, debemos procurar hacerlos más yin, añadiendo a la tortilla espárragos, berenjenas o patatas y acompañándola con ensalada o similar.

Las sales

Por otra parte, es mejor consumir sal marina o sal del Himalaya (no sal marina gris) en vez de sal yodada, y salsa de soja biológica en lugar de la comercial, que ha sido fermentada rápidamente y por medio de procesos químicos artificiales y no posee la riqueza nutriti-

va y enzimática de la que ha sido fermentada de forma natural. Asimismo, no son recomendables los productos que contienen glutamato (por ejemplo, el ketchup). El glutamato es un potenciador del sabor y actúa dilatando las papilas gustativas de la lengua (y, potencialmente, otras estructuras). En muchas conservas, salsas y alimentos preparados, aparece como «potenciador del sabor». También se lo conoce como la «sal china», pues antes su uso estaba bastante restringido a los restaurantes chinos. Produce cierta adicción, conocida como el «síndrome del restaurante chino». Cuando el glutamato[19] pasa al sistema nervioso, puede provocar problemas de tensión arterial. Además, como es muy yin, puede producir hipoglucemia, mareos, vértigos, desorientación, etc.

Las especias

Dentro de las autóctonas, algunas son muy saludables: el tomillo, el romero, el azafrán, el orégano, el eneldo o el laurel. Se trata de especias suaves que, usadas con moderación, tienen un efecto potenciador de la digestión. Normalmente, son de naturaleza caliente o tibia, y algunas de ellas tienen efectos carminativos, es decir, evitan la producción de gases. Son, por lo tanto, especialmente recomendables en el caso de que suframos problemas digestivos, hinchazón de barriga, etc. Entre las especias foráneas, las hay que son extremadamente yin, expansivas y picantes: la cayena, el chili o el clavo, por ejemplo.

Quien tenga síntomas de exceso de calor en el cuerpo (sequedad de ojos, exceso de apetito, carácter irascible, heces secas, piel o mucosas secas, etc.), o tendencia a la sequedad corporal, no debe tomar picantes. Aunque no

sea una especia, al alcohol también se lo considera un picante. Los picantes tienen tendencia a secar los tejidos; aunque estimulan y aumentan el fuego intestinal, son, además, muy expansivos, es decir, dirigen la energía hacia el exterior, con lo que el organismo la pierde. De hecho, provocan la apertura de los poros y tendencia a la sudoración, entre otros síntomas. Ése es el motivo por el que se toman tanto en países tropicales, de donde son originarias. Actúan causando una repentina subida del calor interno, con lo que causan sudoración, que a su vez proporciona una sensación de frescor y pérdida de temperatura. Esta sensación es pasajera, porque internamente el organismo se recalienta y, a largo plazo, los tejidos se contraen y se secan. Por ello, los picantes moderados —tibios, neutros o frescos[19]— son más convenientes que los calientes.

Los aceites

En cuanto a los aceites, los mejores para la salud son los ricos en ácidos grasos esenciales de la serie omega 3 (lino, germen de trigo, soja y cáñamo, este último muy difícil de encontrar hoy en día), de primera presión en frío, es decir, que no han sido calentados ni tratados con disolventes químicos. Son los mejores porque son muy ricos en ácidos grasos poliinsaturados —los ácidos grasos son los que dan sabor, aroma y textura al aceite—, especialmente en el ácido esencial alfalinolénico, difícil de encontrar en otros aceites, porque es muy poco estable.

Para seguir una dieta ideal, lo conveniente es combinarlos con otros aceites poliinsaturados, los ricos en ácidos grasos esenciales de la serie *omega 6* que, aunque pobres en ácido alfalinolénico, son ricos en ácido linoleico. Nos referimos, por ejemplo, a los de sésamo, girasol o cártamo.

Los de lino, germen de trigo o soja recién hecho, conviene tomarlos tres o cuatro veces por semana —una o dos cucharadas soperas al día—, a no ser que exista una recomendación médica para consumirlos con mayor frecuencia. En cambio, el de sésamo sirve para el consumo diario. Muchos de estos aceites ricos en omega 3 se rancian con facilidad, por lo que debemos asegurarnos de que su elaboración haya sido reciente y comprar botellas pequeñas y conservarlas en la nevera, lejos de la luz y el aire.

Nunca se insistirá lo suficiente en la importancia que tiene que los aceites que tomemos sean de primera presión en frío y, a ser posible, de cultivo biológico (en el caso del de soja, además, debemos evitar los de soja manipulada genéticamente). El uso de aceites que no sean de primera presión en frío, poliinsaturados o no, genera radicales libres en el organismo. Es básico, pues, eliminarlos de nuestra dieta. Por otra parte, las bondades de los de primera presión en frío menguan si se fríen más de una vez o si se queman[20] o se calientan más de 160° cuando se fríen, amén de que de ese modo también producen radicales libres. Asimismo, consumir margarinas o aderezos aceitosos elaborados con aceites de mala calidad inhibe el efecto beneficioso de los buenos aceites. También actúa en contra del efecto de los aceites de primera presión en frío, el consumo de productos ricos en grasas saturadas y colesterol: carne, lácteos, huevos, etc. La ingestión excesiva de productos de origen animal conduce a que el organismo reciba demasiado ácido araquidónico, el cual produce efectos contrarios a los de los ácidos grasos de los buenos aceites.

19 Rabanito y wasabi (rábano rusticano, la «mostaza» verde de los restaurantes japoneses) y la menta son frescos. La cúrcuma es neutra. El jengibre, la cebolla cocinada y el tomillo, son tibios. Para más información, consultar el libro *Nutrición energética y salud,* del mismo autor, publicado por Editorial Grijalbo (edición de bolsillo).
20 El aceite de oliva es el que más resiste el calor; otros aceites, al ser poliinsaturados, no son buenos para freír.

Los aceites tipo omega 3 y omega 6 de primera presión en frío son, como decíamos, ricos en ácidos grasos esenciales, es decir, ácidos grasos no generables por el cuerpo humano, como el linoleico y el alfalinolénico, los cuales contribuyen al buen funcionamiento de los órganos, de los sistemas circulatorio, nervioso e inmunitario y de las membranas celulares, las hormonas y las prostaglandinas. En términos energéticos, podemos decir que tonifican la esencia y la sustancia. No olvidemos que provienen de semillas, esos grandes potenciales de vida de donde parte el crecimiento de las plantas. Por otra parte, mantienen saludables los tejidos, la piel y el pelo. Estos aceites es mejor no cocinarlos para que no pierdan propiedades (excepto el de sésamo y el de oliva).

Como veremos más adelante, el pescado, sobre todo el azul, también es una fuente de ácidos grasos omega 3. Sin embargo, si obtenemos suficiente ácido alfalinolénico de otras fuentes alimenticias, en condiciones normales podríamos llegar a prescindir del pescado en nuestra dieta. Alimentos ricos en ácido alfalinolénico son, aparte de los aceites citados, las verduras de hoja verde oscura, como la col, y los granos o cereales, especialmente los que se cultivan en climas fríos. Por su parte, los ácidos grasos omega 6 están presentes, además de en los aceites que hemos mencionado, en los granos, las legumbres, los frutos secos, las semillas, las frutas y algunos productos animales.

El aceite y el estrés

La combinación de los aceites que hemos citado es suficiente para obtener un óptimo equilibrio en ácidos grasos esenciales. Ocurre, sin embargo, que cuando nuestro organismo está enfermo o sometido a otras condiciones de estrés biológico[21] no puede generar cierto ácido graso intermedio, llamado gamalinolénico. Ese ácido no se encuentra en los aceites que hemos citado, sino en los de prímula y borraja, así como en el alga espirulina. Quien esté sano no necesitará recurrir a estos últimos aceites, pues su organismo ya generará de por sí suficiente ácido gamalinolénico a partir del consumo de semillas, frutos secos, granos, legumbres y/o aceites. Sí deberán hacerlo las personas muy estresadas, las sometidas a niveles de radiación importantes, las que sufran de cáncer, los consumidores de grasas saturadas, tabaco, alcohol o aspirinas y los ancianos. En todos esos casos, el organismo tiene serias dificultades para generar la cantidad de ácido gamalinolénico que necesita, por lo que resulta preciso consumir productos que suplan esa deficiencia.

---

21 Véase el «Apéndice 3» del libro *Nutrición energética y salud*, Editorial Grijalbo.

El ácido gamalinolénico —presente, por cierto, en la leche materna— es imprescindible para producir un tipo de metabolitos con función hormonal llamados prostaglandinas. A su vez, éstas desempeñan un papel fundamental en el organismo. En concreto, la prostaglandina E1 regula los estados inflamatorios (eccemas, artritis, etc.); contribuye a aliviar los dolores e inflamaciones causados por el ácido araquidónico a consecuencia del excesivo consumo de carne; ejerce un efecto protector sobre todo el sistema circulatorio y cardíaco; inhibe la proliferación celular y normaliza células que tienden a mutar, con lo que puede ser de ayuda en el tratamiento del cáncer; regula la función cerebral y palia problemas de tipo psíquico o nervioso; potencia el crecimiento del cuerpo cuando se ha retardado; mejora el estado cerebral y hepático, incluso en el caso de personas adictas al alcohol; es muy beneficiosa en los casos de mastitis quísticas, diabetes e, incluso, en los de esclerosis múltiple; combate el síndrome premenstrual y los problemas prostáticos; frena la hiperactividad infantil; y, finalmente, ayuda a perder peso.

Antes hemos hecho referencia a otro ácido graso, el araquidónico, que también es de la serie omega 6. Por lo común, todos disponemos de él en exceso, ya que es de origen animal y la mayoría consumimos demasiada proteína de ese origen. Tiempo atrás, el organismo humano podía generarlo, pero a fuerza de consumir proteína animal, hemos perdido la capacidad de hacerlo. Nuestro cuerpo necesita muy pequeñas cantidades de ese ácido. Ingerirlo en exceso puede causar enfermedades importantes, como trombosis. Para vegetarianos puros, la única fuente de ácido araquidónico es el alga *nori*.

Respecto al **aceite de oliva**, se trata de un aceite monoinsaturado en cuya composición los ácidos grasos esenciales alcanzan una proporción muy baja (entre el 8% y el 10%). No es, pues, un aceite especialmente nutritivo. Sin embargo, es sabroso, combate el colesterol y contribuye a hacer más apetecibles los vegetales, virtud no desdeñable en absoluto. Además, al ser menos insaturado que los anteriores, se conserva mejor, algo muy importante hasta que se desarrollaron los actuales métodos de conservación. Ésos son los motivos de que tenga tanta tradición en la zona mediterránea. No obstante, en climas más fríos no es tan recomendable usarlo, porque al saturarse a cuatro grados, puede causar cierta tendencia al espesamiento de la sangre. En general, el cuerpo agradece los aceites no refinados y bien solubles, incluso a bajas temperaturas. Al hígado, en concreto, le gustan los aceites cuanto más poliinsaturados mejor, por lo que prefiere los de la gama omega 3 al de oliva. En cualquier caso, si tomamos aceite de oliva, debemos complementarlo tomando también aceites de las gamas omega 3 y omega 6. De lo contrario, no tonificaremos la esencia y nuestros tejidos envejecerán más rápidamente. Debemos procurar que el aceite de oliva que tomemos sea siempre de primera presión en frío y de la menor acidez posible. Los que se comercializan con la etiqueta de puro o virgen son en realidad aceites refinados.

También podemos tomar otros aceites, como el de maíz o el de semilla de uva, siempre y cuando sean de primera presión en frío y de elaboración reciente. Debemos rehuir, en cambio, el aceite de semilla de algodón, pues contiene una sustancia tóxica llamada ciclopropeno que afecta al hígado y obstaculiza la metabolización de los ácidos grasos.

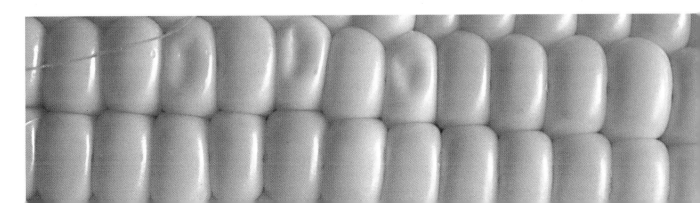

Tabla de aceites

Los aceites deben conservarse en botellas oscuras que los protejan de la luz, el aire, y el calor, para permitir que conserven todas sus propiedades.

Los aceites deben ser de primera presión en frío, sin conservantes ni ningún tipo de aditivos, y frescos, para evitar que se oxiden (rancien).

ACEITES RICOS EN OMEGA 3, especialmente ácido linolénico.

ACEITES EXCELENTES

(Conservar en nevera para retrasar la oxidación).
- Aceite de cáñamo.
- Aceite de lino.
- Aceite de semilla de calabaza.
- Aceite de nueces (debe ser de primera presión en frío) no refinado.
- Aceite de soja: La mayoría hoy en día está parcialmente hidrogenado, destruyendo el ácido alfalinolénico. Actualmente, se está desarrollando soja sin ácido linolénico, para evitar el olor que éste produce cuando se oxida. Esto le hará perder mucha calidad. Más inteligente sería preservar el aceite de la oxidación con envases y medidas adecuadas.
- Aceite de germen de trigo (no debe oler mal; si fuera así, señal de que se ha oxidado).

ACEITES RICOS EN OMEGA 6, especialmente ácido linolénico.

BUENOS ACEITES

- Aceite de sésamo: el más estable.
- Aceite de cártamo.
- Aceite de girasol.
- Aceite de prímula (rico en gama linolénica), aceite terapéutico.
- Aceite de borraja (rico en gama linolénica), aceite terapéutico.

ACEITES DE CALIDAD MEDIOCRE

- Aceite de pepita de uva.
- Aceite de maíz.

ACEITES PARA FREÍR

- Aceite de coco y aceite de palma: son los más seguros.

Aceite de oliva de primera presión en frío

- Se consume cuando el aporte de ácidos grasos esenciales ya está cubierto.
- Es mejor consumirlo en climas y estaciones cálidos (verano, otoño, primavera).
- Ideal para enriquecer el sabor de verduras y platos en los cambios de alimentación.

El único caso en que los aceites grasos monosaturados, como el de oliva, son preferibles a los poliinsaturados, es a la hora de freír. El aceite nunca debe humear. Cuando lo hace, ya podemos tirarlo. Y es que, cuando humea, está creando gran cantidad de radicales libres y sustancias cancerígenas. En la barbacoa se alcanzan temperaturas muy altas, por lo que es un método muy poco saludable de cocinar. Los aceites monosaturados empiezan a humear cuando alcanzan los 190—200°; en cambio, los poliinsaturados lo hacen a 170—180°. Por eso es mejor freír alimentos con los primeros; con aceite de oliva, por ejemplo, aunque aún es más recomendable hacerlo con aceite de palma o de coco.

El frito es tremendamente caliente. Casi siempre causa perjuicios, porque calienta el hígado y carga la vesícula biliar. A través del meridiano del hígado y de la vesícula biliar, ese calor y la humedad que causa el aceite —en medicina oriental, la grasa se considera humedad— pueden producir dolores de cabeza, digestiones pesadas, somnolencia, aturdimiento, irritabilidad, mal genio, falta de lucidez y acumulaciones de tipo graso como abscesos, granos, acné, rojeces en la piel, eccemas, etc. Por lo tanto, es mejor evitar el frito.

No hay problema, en cambio, cuando utilizamos el aceite para saltear verduras. No se trata ya de un frito, pues los alimentos no se sumergen en aceite a gran temperatura.

En general, si uno tiene una salud estable y la piel bien lubricada, lo mejor es reducir el consumo de aceite y tomar directamente semillas, semillas tostadas, granos y legumbres. Cuando se toman regularmente, se puede disminuir el consumo de aceite sin mayor problema. Caso distinto es cuando se tienen deficiencias cutáneas, por ejemplo, por estar en contacto habitualmente con detergentes. Sin embargo, por lo común, con una buena dieta que incluya salteados y los alimentos que acabamos de indicar, no es necesario tomar mucho aceite extra.

Una buena pista sobre si nos excedemos en el consumo de aceite nos la da nuestra frente. Si la notamos habitualmente grasienta, debemos reducirlo.

El agua

Para beber, es mejor evitar la del grifo, que tiende a producir acumulaciones en las arterias. Se trata de agua clorada, quimicalizada, rica en calcio, y el calcio inorgánico se acumula en las arterias. Si se consume, sea para beber, sea para cocinar, hay que emplear un filtro o imantarla. Aunque lo mejor siempre es beber agua mineral. Por otra parte, el agua destilada no es buena para el consumo regular, pues no aporta minerales.

Se suele recomendar que se beban dos litros de agua diarios para que, entre otras cosas, el riñón trabaje mejor. Es un buen consejo, pero hay que tener en cuenta que si en la dieta no hay tóxicos, no es bueno tomar mucha agua. Si uno come mucha carne, azúcar, muchos alimentos salados o concentrados, etc., conviene que beba bastante para diluir toxinas y ayudar a que el cuerpo se limpie mejor. Pero si uno sigue una dieta limpia y rica en alimentos que contienen agua, como las verduras y otros vegetales, no es necesario beber tanto. Si lo hacemos, el exceso de líquido generará cansancio en el riñón.

¿Cómo podemos saber si estamos mal hidratados y necesitamos beber? Muy fácilmente: reparando en si la lengua se nos pega al paladar. Y es que no en todas las ocasiones resulta válido el criterio de si tenemos o no sed. No siempre la necesidad de agua es paralela a la sensación de sed, porque muchas veces esta última depende del frío interno que uno pueda tener. Cuando uno tiene frío en el cuerpo, puede que no le apetezca beber (sobre todo si relaciona beber con agua fría o similar). Asimismo, un exceso de humedad en los órganos internos puede aminorar el deseo de beber; sucede a veces cuando se sufre de obesidad, reumatismo, enfermedades digestivas, intestinales o respiratorias, o alergias, situaciones que conllevan humedad o flemas internas. Por otra parte, a la persona a la que le falta sustancia en los órganos (que tiene deficiencia yin y le cuesta beber), bebe, normalmente, a sorbitos. Si uno tiene la lengua pegada y tiene sed, debe beber. Si uno tiene la lengua pegada y no tiene sed, es que está cansado. En ese caso, debe beber agua caliente: tisanas, sopas o caldos.

El café

Es un alimento de naturaleza tibia, estimulante, amargo y secante, diurético y con efecto purgativo (mucha gente lo toma porque resulta de ayuda para ir al baño). Habitualmente, se usa para estimular la digestión y la mente tras una comida grasa y pesada y con alcohol. Sin embargo, se trata de una tarjeta de crédito con una comisión altísima. El café le quita energía al cuerpo para llenar la cabeza con ella. Cada vez que uno toma café, consume esencia prenatal del corazón y el riñón, con lo que sufre un acceso de envejecimiento prematuro similar al que provocan las drogas. Por otra parte, en su elaboración se usan peligrosos herbicidas y pesticidas. En el caso del café descafeinado, se emplean además disolventes derivados del petróleo y otros productos químicos. Asimismo, los aceites que contiene se vuelven rancios rápidamente cuando se muele. Por ello, cuando menos, el café que consumamos debe ser de origen orgánico. Pero tampoco así deja de resultar perjudicial para la salud. Aunque tomemos apenas una o dos tazas al día, el café sube el colesterol y aumenta el riesgo de sufrir cáncer de páncreas, infartos de miocardio y cáncer de mama o vejiga en el caso de mujeres cuya alimentación sea rica en carnes y grasas. Si se toma durante el embarazo, incrementa asimismo el riesgo de aborto y las posibilidades de que el bebé nazca con defectos congénitos. Además, el ácido del café afecta al *villi* (vellosidad del intestino), dificultando la absorción de calcio y otros minerales. Los grandes consumidores de café que quieran reparar su intestino pueden recurrir al té de hoja de ortiga. Tomar dos tazas diarias durante seis semanas da excelentes resultados.

A esta lista de defectos se suma, desde el punto de vista de la medicina tibetana, el hecho de que el café, al afectar a la esencia del corazón, afecta también a nuestra capacidad de empatía para con los demás. Y no hay que olvidar tampoco los beneficios que reportaría, para grandes zonas inmersas en la pobreza y el hambre, que las grandes plantaciones de café y frutas tropicales que abundan en Hispanoamérica se dedicaran al cultivo de productos capaces de paliar sus necesidades alimenticias, en lugar de contribuir al enriquecimiento de algunas multinacionales y unos cuantos intermediarios.

Si optamos por dejar el café, no debemos hacerlo de golpe, porque podemos sufrir dolores de cabeza o estreñimiento. Lo recomendable es tomar sustitutivos como el té (inclinándonos paulatinamente por tés cada vez más suaves y con menos teína) o el café de cereales, que *yanguiza* y quita el cansancio, pero sin exaltar el sistema nervioso simpático, ni provocar desgastes en el riñón, el corazón y la sangre.

En cualquier caso, si al dejar el café sufrimos de estreñimiento, podemos recurrir a algún laxante suave como la semilla de lino.

El chocolate

Es un alimento extremadamente yin que suele apetecernos como factor compensatorio, bien en situaciones de mucha tensión (cuando estamos internamente contraídos, reprimiendo emociones, y sufrimos de ansiedad y estrés), o bien tras el consumo de productos muy contractivos, como los huevos, la carne, los quesos duros, los horneados y la sal (parte de su capacidad para relajar se debe a que es rico en magnesio). Si estamos relajados o eliminamos esos alimentos de nuestra dieta, el chocolate nos deja de apetecer.

La inmensa mayoría de los chocolates contienen azúcar y leche, alimentos que no deben estar presentes en una dieta que pretenda contribuir a que nuestra salud sea óptima. Asimismo, contienen teobromina, el alcaloide del cacao, motivo por el que causan adicción. Tomar mucho chocolate puede producir falta de tono y concentración, dispersión mental y tendencia a la depresión. Por otra parte, es un alimento rico en oxalatos (sales de ácido oxálico), con lo que resulta perjudicial para las personas que sufren enfermedad litiásica renal. Además, carga bastante el hígado y es acidificante.

En definitiva, si no podemos eliminar el chocolate de nuestra dieta, debemos, por lo menos, consumirlo muy moderadamente y procurando siempre tomarlo biológico, endulzado con melazas de cereales y no con azúcar, y elaborado con leches saludables como la de avena.

PROPIEDADES
DE LOS ALIMENTOS

Vamos a abordar ahora algunas de las propiedades energéticas y biológicas de los alimentos, que explican los efectos que éstos ejercen en el cuerpo.

**Alimentos que producen acidez
y alimentos que producen alcalinidad**

Desde el punto de vista dietético, los alimentos se clasifican en acidificantes y alcalinizantes según los efectos que producen en el cuerpo, independientemente de su grado intrínseco de acidez o alcalinidad. Por ejemplo, el azúcar blanco ejerce un efecto muy acidificante en la sangre, a pesar de ser un producto alcalino. En cambio, muchos alimentos de sabor ácido (la ciruela *ume* y el limón, por ejemplo) dejan un residuo alcalinizante al ser metabolizados.

Pero, ¿qué significa que un alimento sea alcalinizante o acidificante? En último término, una sustancia o disolución alcalinizante es la que tiende a aportar electrones al organismo; en cambio, un producto acidificante es el que tiende a robárselos.

Los tejidos y la sangre deben de tener un nivel de acidez/alcalinidad, llamado también *pH*, ligeramente alcalino, para compensar la acidez o pérdida de electrones que causan las funciones vitales, la actividad diaria y el estrés.

Cuando tomamos alimentos acidificantes (carne, lácteos, la mayoría de los cereales —especialmente los refinados—, legumbres, pescado, azúcar, drogas, productos químicos, muchos medicamentos, grasas y, en algunos casos, las frutas), cuando sufrimos de estrés, cuando realizamos demasiada actividad física o cuando respiramos aire contaminado, nuestra sangre se acidifica en demasía, con lo que podemos contraer enfermedades con facilidad.

Para amortiguar la acidez, el cuerpo dispone de un sistema tampón que actúa sobre la sangre, los órganos vitales y los tejidos. Cuando existe un exceso de acidez, la reserva de sales minerales y esencia del organismo empiezan a actuar. Asimismo, nuestro cuerpo elimina el plus de ácido por medio de la orina e incrementando el ritmo respiratorio. A pesar de todos esos recursos, la acidez puede convertirse en crónica, con lo que la sangre, los órganos vitales y también los huesos se desvitalizan. Para evitar que eso suceda, debemos procurar que nuestra dieta guarde el debido equilibrio entre alimentos acidificantes y alimentos alcalinizantes. Este equilibrio es, en ocasiones, más trascendental y movilizador a corto plazo que el que debe existir entre alimentos contractivos (o yang) y alimentos expansivos (o yin). Porque, ¿qué ocurre cuando tomamos alimentos muy acidificantes? Pues que el cuerpo se ve forzado a movilizar y consumir su reserva de sales minerales. Recurre en primer lugar a las que se encuentran en la sangre y, si no le bastan, acude a las del cerebro y los riñones, con lo que se pone en marcha un proceso de desmineralización o, dicho de otro modo, de pérdida de energía, minerales y esencia. Por ello, si uno no tiene una constitución muy fuerte y se toma, por ejemplo, un refresco azucarado, es fácil que a continuación note cierta dispersión mental, tenga dificultades para concentrarse, se encuentre cansado e incluso esté propenso a sentirse afectado emocionalmente.

En general, los alimentos acidificantes contienen más azúcares simples, proteínas, grasas y vitaminas solubles en agua y menos fibra y minerales que los alcalinizantes. Éstos, por su parte, contienen más azúcares complejos, fibra, minerales y vitaminas liposolubles, y menos proteínas y grasas.

Una dieta compuesta de carne, lácteos, azúcar, fruta, productos refinados y alimentos aceitosos y grasos, junto con el consumo frecuente de frutas tropicales, refrescos y bebidas aromáticas y estimulantes (en otras palabras, la forma moderna de comer), produce condiciones corporales más ácidas. En cambio, una práctica dietética tradicional, basada en el consumo de cereales integrales, verduras cocidas, legumbres, algas y otros alimentos naturales, condimentados todos ellos con sal de mar o alguno de sus derivados y acompañados de bebidas no estimulantes, tiende a generar más alcalinidad en el cuerpo y en la sangre.

Más allá de cuidar nuestra alimentación, ¿qué podemos hacer para alcalinizar la sangre? En primer lugar, masticar muy bien la comida, pues la masticación carga de *chi* los alimentos y, además, los mezcla con la saliva, que es un fluido muy alcalino. También contribuye a alcalinizar hacer algo de ejercicio (sin excederse), en sitios con aire puro, bien cargados de energía, y respirando de forma adecuada. Asimismo, es de mucha ayuda llevar una vida ordenada, sin prisas, sin estrés, pues el estrés conduce a que las glándulas suprarrenales liberen catecolaminas (hormonas suprarrenales: adrenalina y noradrenalina), las cuales producen residuos metabólicos ácidos. Para no acumular ácidos, también es conveniente no comer demasiado ni cenar muy tarde.

Alimentos acidificantes y alcalinizantes

Respecto a los alimentos, conviene saber que los cereales en grano son ligeramente acidificantes, salvo el mijo y el trigo sarraceno tostado (*kasha*). Para alcalinizarlos, pueden cocinarse con alga *kombu* o sal, o dejarse en remojo entre 8 y 12 horas, pues de ese modo germinan, volviéndose más alcalinos. Huelga

nas, horneados, lácteos duros, alimentos salados, etc. En ese caso, los residuos de la fruta, que son de tipo yin, drenan los residuos yang de esos alimentos, con lo que produce un cierto efecto alcalinizante (lo que no quiere decir que siempre consiga amortiguar la acidez). Sin embargo, cuando nuestra dieta no es rica en proteína animal, horneados, lácteos, etc., o cuando nuestra reserva de sales minerales es baja, la fruta ejerce sobre nuestro organismo un efecto acidificante, especialmente si se come demasiada. Es lógico que lo haga, pues la fruta no es especialmente rica en sales minerales y en cambio, la sacarosa, requiere en su metabolización un dispendio de minerales y vitaminas que, generalmente, la fruta no puede aportar. No olvidemos que la parte de la fruta más rica en vitaminas es la piel, la cual normalmente se desecha, pues es en donde más incide el uso de pesticidas, plaguicidas e insecticidas.

En cualquier caso, los productos que más acidifican la sangre y los tejidos son las grasas —de las cuales también la fruta es una fuente, cuando se consume en exceso—, los aceites ya fritos, los alimentos fritos, los alimentos derivados de animales (carne, huevos, embutidos, pollo...), el azúcar, los refrescos azucarados, los farináceos y las bebidas alcohólicas.

Muchas veces, buscamos compensar la acidez con alimentos de tipo alcalino (café, ensaladas, sal, etc.), pero si consumimos los productos que hemos citado en el párrafo anterior, la acidez se vuelve crónica y es fácil que aparezcan enfermedades de todo tipo: infecciones, alergias, problemas reumáticos o cardiovasculares, fatiga crónica, etc. En cambio, si nuestro organismo dispone del nivel de alcalinidad necesario, es difícil que contraiga enfermedades.

En definitiva, debemos procurar que los factores alcalinizantes y acidificantes estén compensados en todas nuestras comidas: si tomamos cereales y proteína, debe-

decir que los condimentos salados (hechos con sal marina o algas) que se echan encima del cereal son alcalinizantes, pues son ricos en sales minerales. Así pues, añadir sal marina o alga *kombu* (por poner un alga que no altere el sabor de lo que se cocina) a cualquier plato, ayuda a alcalinizarlo.

Las legumbres, por su parte, son acidificantes, excepto la soja y el *azuki*. Los derivados de la soja, como el tofu o el tempeh, pueden tener tanto un efecto alcalinizante como un efecto acidificante (efecto tampón).

Las verduras son alcalinizantes, lo cual explica por qué tradicionalmente se han comido combinadas con los cereales.

La fruta, regulador natural

En cuanto a la fruta, hay quien afirma que es alcalinizante, pero nuestra experiencia clínica indica lo contrario: la fruta sólo alcaliniza cuando uno sigue una dieta altamente acidificante, rica en carnes, hari-

remos tomar verdura o emplear condimentos alcalinizantes y bebernos un té o un café de cereales; si tomamos legumbre, deberemos aliñarla con un poco de salsa de soja y cocinarla con alga *kombu*. Si el primer y el segundo plato son alcalinizantes, será bueno que tomemos un postre. De lo contrario, podemos tener tendencias alimenticias incontrolables. Por ejemplo, la falta de proteína (acidificante) en nuestra dieta, nos inducirá a tomar farináceos (acidificantes también). Un exceso de sal y verduras (alcalinizantes y yin) nos llevará a consumir fruta y azúcar (acidificantes y yin); en este caso, primará el impulso de compensar lo alcalino con lo ácido, que lo yin o expansivo con lo yang o contractivo.

	ALIMENTOS ACIDIFICANTES	ALIMENTOS ALCALINIZANTES
+yin	Bebidas alcohólicas	Cafés de buena calidad
	Azúcar, miel	Frutas
	Helado	Limón
	Leche	Verduras de tallo y hojas
	Grasas y aceites	Judías verdes
	Fruta	Guisantes
	Harina blanca	Patatas
	Mantequilla	Verduras de raíz
	Frutos secos	Verduras de tierra
	Semillas	Algas
	Legumbres	Té verde
	Cereales integrales	Té de 3 años
	Pescado	Soja
	Ave	Azuki
	Embutido	Café de cereales
	Carne	Mijo
	Huevos	Kasha
	Quesos	Tamari
		Miso
+yang		Sal

Alimentos refrescantes y alimentos que calientan

Una característica distintiva de algunos alimentos es que aumentan la temperatura corporal y, en consecuencia, la actividad metabólica del organismo o de determinada zona del cuerpo. En cambio, otros bajan la temperatura, con lo que sedan la actividad metabólica general o la de algún órgano en concreto. Según calienten o enfríen en mayor o menor medida, los alimentos se dividen en calientes, tibios, neutros, frescos y fríos.

Cuando tomamos alimentos fríos o refrescantes, la energía y los fluidos corporales tienden a dirigirse hacia el interior del organismo y hacia su parte inferior, debido a lo cual, si hace frío, donde lo notamos antes es en las zonas exteriores y superiores del cuerpo. El proceso es parecido al que siguen los árboles en los meses fríos, cuando la savia se canaliza hacia su interior y la parte exterior queda desvitalizada, con lo que las hojas caen.

Cuando tomamos alimentos tibios o calientes, la energía y los fluidos tienden a dirigirse hacia arriba y hacia fuera. Si tomamos alimentos extremadamente calientes (alcohol o especias como la cayena o el chili, por ejemplo), el ascenso de la temperatura de la zona exterior del cuerpo y la consiguiente sudoración causan, paradójicamente, un efecto refrescante. En cambio, alimentos calientes pero de tipo más yang (como la cebolla, la zanahoria, el ginseng, la avena, el jengibre seco o las anchoas) incrementan el nivel de energía y aumentan la temperatura en todo el organismo.

Si nos referimos a las plantas, aquellas que tardan más tiempo en crecer (la col, la cebolla, la chirivía, la zanahoria, el ginseng, etc.) calientan más que aquellas que crecen más rápidamente (el tomate, la patata, el pimiento, la berenjena, la lechuga, el calabacín, el pepino, el rábano, etc.). En general, las plantas fertilizadas con productos químicos son más frías que las de cultivo biológico. Lo mismo ocurre con las que son de colores fríos, como el azul, el violeta o el verde: refrescan más que las de color amarillo, naranja o rojo. Por ejemplo: el pimiento verde es más frío que el rojo, la mandarina verde lo es más que la naranja, la pera verde lo es más que la amarilla y la manzana verde lo es más que la roja.

Por otra parte, los alimentos crudos son más fríos que los cocinados. No obstante, mediante la cocción podemos transformar un alimento caliente en frío, y viceversa. El estilo de cocción y el tiempo que pase el alimento al fuego determinarán sus efectos sobre la temperatura corporal. Cuanto más larga sea la cocción y más presión se emplee en ella, más se calentará el alimento. Por ejemplo: si freímos un alimento, lo calentamos más que si lo cocinamos al horno; si lo hacemos al horno, lo calentamos más que si lo hacemos a la plancha; si lo hacemos a la plancha, lo calentamos más que si lo salteamos; si lo salteamos, lo calentamos más que si lo hervimos; si lo hervimos, lo calentamos más que si lo cocinamos al vapor, etc.

También influye en la temperatura del alimento la forma de cortarlo. Por ejemplo, cuanto más troceada está la verdura, más fácilmente absorbe el calor y, por lo tanto, más calienta el alimento.

ALIMENTOS CALIENTES	ALIMENTOS TIBIOS	ALIMENTOS NEUTROS	ALIMENTOS FRESCOS	ALIMENTOS FRÍOS
Ajo crudo	Ajo cocinado	Aceitunas	Ancas de rana	Alga nori
Alcohol	Albaricoque	Alfalfa	Apio	Algas en general
Canela	Amasake	Almendra	Berenjena	Almejas
Cayena	Anchoas	Anguila	Berro	Cangrejo
Cebolla cruda	Arroz dulce	Arenque	Cebada	Espárrago
Clavo de olor	Avena	Arroz integral	Cebada perlada	Frambuesa
Jengibre seco y fresco	Bacalao	Abalón	Cerveza de trigo	Mango
Pimienta fresca	Café	Azafrán	Conejo	Mora de árbol
Pimienta verde	Calabaza	Azuki	Diente de león	Plátano
Semilla de hinojo	Carnes de vaca, cordero y pollo	Buey	Espinaca	Pulpo
	Cebolla cocinada	Caballa	Germen de trigo	Sandía
	Cereza	Carne de cerdo	Hígado de cordero	Setas (algunas)
	Coriandro	Carne de jabalí	Leche de soja	Soja verde germinada
	Gambas	Col	Leche de vaca	Vieiras
	Ginseng	Col china	Lechuga	
	Hinojo	Coliflor	Limón	
	Mantequilla	Espelta	Mandarina	
	Mejillones	Guisantes	Manzana	
	Melocotón	Habas	Manzanilla	
	Mijo	Hojas de rábano	Menta	
	Nueces	Huevo	Mora de zarza	
	Piel de mandarina	Maíz	Naranja	
	Piñones	Ostra	Pepino	
	Puerro	Papaya	Pera	
	Queso parmesano	Patata	Pickles	
	Romero	Pato	Pomelo	
	Trigo sarraceno	Pescado blanco	Quesos no salados	
	Zanahoria	Raíz de loto	Rabanito	
		Regaliz	Remolacha	
		Sal marina	Semillas de girasol	
		Sardina	Setas	
		Sepia	Soja verde	
		Soja amarilla	Té negro	
		Soja negra	Té verde	
		Uva	Tofu y otros derivados de la soja	
			Tomate	
			Trigo	
			Wakame (Alga)	
			Yogur	

Otro modo de modificar la temperatura de un alimento es combinarlo con otros, adecuados a ese fin. Por ejemplo, una fruta refrescante como la manzana se convierte en neutra o tibia si la combinamos con canela y jengibre en una compota.

La aplicación práctica de la clasificación de los alimentos según su temperatura es la siguiente: cuando suframos de problemas digestivos (digestiones lentas o diarreas) o, en general, estemos faltos de energía, deberemos tomar alimentos calientes, tibios o neutros; en cambio, cuando tengamos síntomas de que acumulamos demasiado calor en el cuerpo (hipertensión arterial, sudoración, sofocación, rojez de cara, ánimo colérico o irritado, insomnio, agitación, etc.), deberemos tomar alimentos frescos o fríos. Por regla general, el

TÉCNICAS DE COCCIÓN SEGÚN SU EFECTO		
	-REFRESCANTES YIN	+CALORÍFICAS YAN
+ calientes	· Al vapor	· Freír con aceite abundante y durante largo tiempo
	· Saltear removiendo (sin tapa)	
	· Escaldar (sin tapa)	· Hornear
	· Ensalada a presión	· Freír
	· Ensalada cruda	· Cocinar a la plancha
	· Fermentar (encurtir)	· Saltear durante largo rato
	· Marinar	· Saltear durante poco rato
- calientes	· Germinar	· Hervir

sistema digestivo prefiere los alimentos algo calientes, para perpetuar el fuego interno, favorecer las digestiones y permitir que se absorban todos los nutrientes.

(Fig. 1) CLASIFICACIÓN DE LOS ALIMENTOS DE YANG A YIN - DE MÁS CONTRACTIVO A MÁS EXPANSIVO							
▲▲▲ ALIMENTOS EXTREMO YANG CONTRACTIVOS	ALIMENTOS MODERADOS						
	▲ ← + CONTRACTIVOS			✡	+ EXPANSIVOS → ▼		
ALGUNOS QUÍMICOS Drogas Sal refinada Sal yodada Ginseng Insulina Thyroxina HUEVOS Huevos de pollo Huevos de pato Caviar CARNES Ternera Cordero Cerdo Jamón Embutidos VOLATERIA Pollo Pato Faisán Pavo	PESCADO Y MARISCO Carpa Almeja Cangrejo Bacalao Arenque Langosta Pulpo Ostra Salmonete Gamba Lenguado Trucha Pescado blanco u otros mariscos	GRANOS INTEGRALES Y SUS DERIVADOS Azuki Arroz integral Mijo Cebada Avena Centeno Trigo sarraceno Maíz Arroz salvaje Amaranto Quinoa Arroz dulce Mochi Pan Chapata Tortitas Soba Udon Pasta Cuscús Bulgur Fu Seitán Palomitas Otros derivados	LEGUMBRES Y SUS PRODUCTOS Azuki Guisantes Soja negra Alubias Lentejas Garbanzos Judías pintas Soja Miso Natto Salas soja Tofu Otros derivados PICKLES De miso De salmuera Salsa de soja Umeboshi Otras verduras fermentadas	ALGAS Agar-agar Arame Dulse Hiziki Kelp Kombu Nori Wakame Otras	VERDURAS RAíCES Remolacha Zanahoria Daikon Lotus Rábano Nabo Otras REDONDAS Calabaza Brócoli Coles Pepino Judía verde Guisante Cebolla Setas	FRUTAS FRESCAS Y SECAS Fresa Sandía Cereza Melón Pasas Manzana Albaricoque Mora Arándano Limón Nectarinas Olivas Naranjas Melocotón Pera Ciruela Otros	BEBIDAS USO REGULAR Té bancha Té de arroz tostado Té de cebada tostada Té de grano tostado Té de Kombu Agua de manantial USO OCASIONAL Café 100% grano Amasake Té de raíz de lotus Otros tés o infusiones naturales no estimulantes. Zumo de zanahoria Leche de avena

(Fig. 2) CLASIFICACIÓN DE LOS ALIMENTOS DE YANG A YIN - DE MÁS CONTRACTIVO A MÁS EXPANSIVO					
▲▲ **ALIMENTOS MUY YANG** MUY CONTRACTIVO	ALIMENTOS MODERADOS				
	▲ ← + CONTRACTIVO		✡	+ EXPANSIVOS → ▼	
PESCADO Y MARISCO Pescado azul (Salmón) Atún Pez espada CONDIMENTOS Sal marina Tamari Miso Gomashio Tekka Shio Kombu ALIMENTOS PROCESADOS Arroz blanco Horneados (Café)	CONDIMENTOS Gomashio Polvo de algas Umeboshi Hojas Sisho Nori (copos) Mostaza Semillas Sésamo tostado Vinagre de umeboshi	SEMILLAS Y FRUTOS SECOS Almendra Avellana Cacahuete Piñón Pistacho Semillas: sésamo, calabaza, girasol Nuez	VERDURAS HOJA VERDE/ BLANCA Acelgas Hojas de zanahoria Apio Celdrina Hojas de daikon Endivia Escarola Puerros	ALIÑOS Y CONDIMENTOS Vinagre de arroz Mirin Amasake Melaza de arroz Melaza de cebada Jengibre Daykon Rábano Umeboshi Jugo de limón, de mandarina, de naranja. Pimienta Mostazas Aceite de sésamo, de maíz, de oliva, de mostaza. Sake	BEBIDAS USO INFRECUENTE Zumo de fruta Sidra Leche de soja Leche de arroz Sake Cerveza de fermentación natural Vino Otras bebidas naturales Canela Té verde, té negro, Té rojo ENDULZANTES Amasake Melaza de arroz Melaza de cebada Zumo de frutas Frutos secos Fruta cocinada

Alimentos contractivos (yang) y alimentos expansivos (yin)

Alimentos extremadamente yang

Entre los productos más extremadamente yang, se encuentran algunos medicamentos como los que se emplean en quimioterapia y algunas hormonas como la tiroxina y la insulina. La insulina la segrega el páncreas, un órgano situado en el centro del cuerpo y regido por una energía muy yang. Cuando uno se encuentra muy yang, segrega insulina, con lo que el cuerpo pide azúcar y alimentos de tipo yin para compensar. Es lo que nos sucede habitualmente a partir de las seis de la tarde, el momento más yang del día: a esa hora sentimos la necesidad de tomar algún dulce para compensar ese exceso de insulina.

La sal yodada o refinada también es muy yang. Es mejor consumir sal marina, más rica en minerales. Incluso en ese caso, si la consumimos en demasía, nos contraeremos en exceso. Cuando la tomamos, notamos que nuestra fuerza digestiva aumenta y que nuestro apetito crece, pero si abusamos de ella, aparte de poder provocarnos a la larga, entre otros efectos nocivos, un aumento de la tensión arterial, nos pondrá tensos y nos causará dificultades para relajarnos o dormir. La sal debe echarse durante la cocción, no directamente sobre el plato, pues el fuego la modula, es decir, la suaviza y yiniza.

El ginseng es una raíz tibia también muy contractiva, y sólo resulta aconsejable para personas mayores o con un bajón importante de energía. Suele presentarse combinado con jalea real, endulzantes o vitaminas (productos más yin). A las mujeres, generalmente, les sienta mal, porque, al ser ellas internamente más yang, el exceso de con-

| (Fig.3) | CLASIFICACIÓN DE LOS ALIMENTOS DE MUY YIN A EXTREMO YIN - DE MUY EXPANSIVO A EXTREMO EXPANSIVO |

▼▼
ALIMENTOS
MUY YIN ←

▼▼▼
→ ALIMENTOS
EXTREMO YIN

VERDURAS Y FRUTAS	LÁCTEOS	ALIMENTOS PROCESADOS	EDULZANTES	ESTIMULANTES	ALIÑOS	QUÍMICOS Y DROGAS
(Espárrago)	Mantequilla	Harina blanca	Aspartamo	Té de negro	Margarina	Anfetaminas
Aguacate	Queso	Granos refinados	Azúcar moreno	Té de menta	Margarina de soja	Antibióticos
Plátano	Yogur	Comidas instantáneas	Azúcar de caña	Otros tés aromáticos estimulantes	Manteca de cerdo	Aspirina
Nueces de Brasil	Crema	Comidas enlatadas	Azúcar refinado	Café	Aceites refinados	Cortisona
Coco	Helado	Congelados	Algarroba	Cola	Vinagre de vino	Cocaína
Aceite de coco	Kefir	Productos con aditivos químicos, colorantes, saborizantes...	(Sirope de maíz)	Refrescos	Mayonesa	LSD
Berenjena	Leche	Pastillas de vitaminas	Chocolate	Curry		Marihuana
Higos		Suplementos minerales y similares	Fructosa	Nuez moscada		Otros
Pimiento verde			Miel	Otras especies		
Kiwi			Sacarina			
Mango			Sorbitol			
Aceite de palma			Xylitol			
Papaya						
Patata						
Pimiento rojo						
Tomate						

tracción se traduce en sofocos, insomnios, nerviosismo, malestar... No hay que tomarlo, pues, cuando se tienen síntomas de exceso de calor o contracción en el cuerpo.

Tras la sal, el alimento más contractivo son los huevos. Si los tomamos, el cuerpo nos pedirá alimentos muy expansivos, como chocolate, pasteles, azúcar, etc.

En cuanto a la carne, hoy en día su calidad deja muchísimo que desear. Por otra parte, si se consume carne resulta muy difícil equilibrar correctamente una dieta en un clima templado o tropical. Si uno toma alimentos centrados, ni muy contractivos ni muy expansivos, y se come de pronto un bistec, el cuerpo le exigirá otros alimentos extremos, en este

caso expansivos, como helados, vino, azúcar o cualquier cosa que relaje y expanda. Consumiendo alimentos extremos es muy difícil alcanzar el equilibrio dietético necesario para gozar de una salud óptima. Sin darnos cuenta, un alimento extremo nos lleva a otro también extremo pero de polaridad contraria y vamos abandonando los más centrados, equilibrados y energéticos. Después de un solomillo, ¿a quién le apetece comerse un plato de arroz o de verduras? A buen seguro, preferiremos unas patatas fritas, un helado o un café con azúcar.

El pollo también es bastante yang. Contrae y calienta, sobre todo el hígado. Por ello, es especialmente desaconsejable para personas que sufran de hipertensión, problemas hepáticos, tensión emocional, problemas musculares (atrofias, tirones...) y problemas de vista o de piel. También hay que ser prudentes a la hora de consumir pato, pavo o faisán, porque a la larga desbaratan el equilibrio alimenticio. En cualquier caso, consumir volatería es más saludable que comer mamíferos, de acuerdo con el principio de que cuanto más lejana a nosotros es la especie que nos comemos, mejor para el organismo y para la conciencia.

LOS SABORES

Más allá de constituir un estímulo para el paladar, los sabores de los alimentos tienen propiedades dietéticas y terapéuticas que conviene conocer con vistas a alimentarnos adecuadamente. Por poner un ejemplo significativo, los sabores expresan la naturaleza dinámica de la energía. Los sabores picante y dulce la canalizan hacia arriba y hacia fuera del cuerpo. En cambio, los sabores salado, ácido y amargo la conducen hacia abajo y hacia el interior del cuerpo. Asimismo, cada uno de los sabores está en estrecha relación con una zona determinada del organismo. Así, el sabor ácido actúa sobre el hígado y la vesícula biliar; el amargo, sobre el corazón y el intestino delgado; el dulce, sobre los intestinos, el bazo-páncreas y el estómago; el picante, sobre los pulmones y el intestino grueso, y el salado, sobre los riñones y la vejiga.

En la dieta de una persona saludable, los cinco sabores deben guardar cierto equilibrio, pero el dulce siempre debe predominar. Este sabor, presente en la mayoría de los carbohidratos (granos, verduras, legumbres, frutos secos, semillas y frutas), debe acompañarse a diario de pequeñas cantidades de sabor amargo, salado, picante y ácido.

Si nuestra salud es débil o estamos enfermos, lo conveniente en la mayoría de las ocasiones es aumentar el consumo de dos o tres sabores —los correspondientes a los órganos que más nos interesa tonificar— y reducir el de los sabores contraindicados en nuestro caso. Por ejemplo: para estimular la función del hígado, tomaremos alimentos de sabor ácido o ligeramente salado, evitaremos los picantes y no consumiremos demasiado sabor dulce.

Vamos ahora a detallar las características y propiedades de cada sabor. Como veremos, no siempre coinci-

de nuestra percepción sobre el sabor de un alimento con el sabor que se le adjudica desde el punto de vista energético. El vinagre, por ejemplo, se considera amargo —además de ácido— por su capacidad de enviar la energía hacia abajo y porque descongestiona.

Los mejores ácidos para consumo regular para la cocina y la salud son:

- · Vinagre de arroz o cebada.
- · Vinagre de limón.
- · Vinagre de *ume*.
- · Encurtidos
  (*pickles*, fermentación natural sin vinagre).

Ácido

Como podemos comprobar cuando comemos algo ácido, este sabor es contractivo, absorbente y astringente. Si no es de buena calidad, incluso corroe los tejidos. En caso contrario, los seca y les da firmeza. Si acudimos a la medicina tibetana o ayurvédica, es una suma de los elementos tierra y fuego. Según esa cosmología, los fenómenos de la naturaleza están constituidos por cinco elementos, que ordenados del más denso al más sutil son: tierra, agua, fuego, aire y éter. Todas las cosas y fenómenos que nos rodean están formados por esos elementos, ley a la que no escapan los sabores. Al combinar fuego y tierra, el sabor ácido es un sabor caliente y de efecto contractivo y astringente que ayuda a absorber líquidos y desinflamar.

El sabor ácido deriva de una gran variedad de ácidos, los más comunes de los cuales son, entre otros, el ácido cítrico, el ácido tánico y el ácido absórbico (vitamina C).

En cuanto a sus resultados sobre los órganos, tonifica preferentemente el hígado, estimulando la formación y secreción de bilis, con lo que ayuda a disolver las grasas y proteínas que llegan al estómago. Además de contribuir a la digestión, actúa a nivel psíquico, aumentando la capacidad de percepción. Es un sabor apropiado para estimular el psiquismo y contribuye a organizar patrones mentales dispersos. No es que sea especialmente bueno tomar alimentos de sabor ácido cuando uno va a meditar, pero sí lo es cuando uno va a estudiar o debe acudir a una clase.

Es muy aconsejable tomar alimentos de sabor ácido en otoño, época en que el organismo dispone de todo el calor que ha ido acumulando en verano para facilitar la digestión de alimentos fuertes e indigestos durante los meses fríos. El sabor ácido ayuda al cuerpo en esa tarea al potenciar la formación y secreción de bilis.

ELEMENTOS CONSTITUYENTES DE LAS MEDICINAS TIBETANA Y GRIEGA	
Sólido	*Tierra*
Líquido	*Agua*
Calórico	*Fuego*
Aéreo	*Aire*
Espacial	*Éter*

En lo que respecta a sus defectos, conviene saber que si se toma en exceso, desmineraliza y yiniza, y afloja y seca los tejidos. Según la medicina ayurvédica, su consumo exagerado promueve, además, la envidia (bien se dice de la persona afectada por la envidia reprimida que «tienen un carácter ácido»).

Resulta fundamental que los productos ácidos que tomemos sean de excelente calidad, pues de lo contrario puede ejercer un efecto corrosivo y desmineralizante muy importante. Quienes primero pueden sufrirlo son los dientes. Además, el ácido arrastra los metales de las amalgamas dentarias hacia el sistema digestivo, por lo que si uno tiene obturaciones de amalgamas metálicas en la boca, debe tomar las bebidas ácidas con una pajita. Los productos de sabor ácido de mejor calidad son el limón de cultivo biológico, el vinagre de arroz, la ciruela *ume* y los *pickles*.

Hay ácidos anabólicos, es decir, que favorecen la asimilación de nutrientes, sin por ello causar obesidad, y ayudan a regenerar los tejidos, y ácidos catabólicos, esto es, que desgastan los tejidos y tienden a adelgazar a la persona. Por ejemplo, el vinagre de uso común es catabólico. En cambio, el vinagre de arroz es un ácido anabólico; de ahí las propiedades medicinales que tiene. Por su parte, el limón es también un ácido anabólico,[22] pero si se abusa de él se convierte en catabólico, como ocurre, por lo demás, con cualquier ácido.

---

22 Desgasta menos el tejido; más bien ayuda a recuperarlo.

Las virtudes terapéuticas del sabor ácido se emplean para tratar el escape de orina, el exceso de la transpiración, las hemorragias, la incontinencia seminal, las diarreas, la debilidad de los tejidos, la flacidez de la piel, las hemorroides y el prolapso uterino. De todos modos, conviene saber que no todos los remedios para los problemas de pérdidas son de sabor ácido.

Deben usarlo con moderación las personas que padezcan pesadez de cuerpo o mente, estreñimiento, enfermedades en los tendones o ligamentos, exceso de acidez en el estómago, falta de peso o demasiada inquietud perceptual y, en general, quienes tengan una constitución frágil y pobre en sales minerales.

La mayoría de los alimentos de sabor ácido también participan de otro sabor, como podemos ver en los ejemplos siguientes:

Ácido	Ácido y dulce	Ácido amargo	Ácido y salado
Chucrut	Arándano	Pomelo	Encurtidos
Ciruela ácida	Frambuesa	Vinagre	
Ciruela ume	Fresa		
Escaramujo	Mandarina		
Limón	Mango		
Manzana ácida	Manzana		
Mirtilo	Mora		
Vinagre arroz	Pan de levadura madre		
	Tomate		
	Yogur		

Picante

El sabor picante está compuesto de los elementos fuego y aire. Es un sabor yin, expansivo: moviliza y dispersa la energía y la dirige hacia el exterior del cuerpo. Gracias a ello, es capaz de limpiar los pulmones de mucosidades generadas por el consumo excesivo de lácteos, carnes, grasas, harinas y azúcar. Asimismo, mejora la actividad digestiva, regulada por el bazo-páncreas, y ayuda a eliminar el gas de los intestinos.

Según la medicina tradicional china y la medicina ayurvédica, el sabor picante humedece los riñones, lo que tiene consecuencias sobre los fluidos de todo el organismo. Ejemplo de ello es el aumento de saliva y sudor que se produce al consumir, por ejemplo, jengibre. Por su parte, las hierbas picantes calientes ayudan a curar el resfriado y sirven para relajar y calentar los riñones. El jengibre, la manzanilla o, incluso, el ajo o la cebolla pueden tomarse en un té o en un caldo para expeler, mediante la sudoración, el viento frío que ha provocado el constipado. El sabor picante, además, ejerce un efecto tónico sobre el pulmón, de forma que éste puede defenderse mejor frente a las agresiones externas: frío, calor, humedad...

Picantes calientes, tibios y fríos

Asimismo, el sabor picante estimula la circulación de la sangre —ayuda a deshacer las obstrucciones— y activa las funciones del hígado, al combatir los bloqueos energéticos en ese órgano.

En los países cálidos se consume mucho porque al ser expansivo adecua el organismo al tipo de energía predominante en las zonas tropicales y porque, además, tiene poder vermífugo, es decir, combate los parásitos intestinales, que en aquellas latitudes son endémicos.

Hay picantes calientes, picantes tibios y picantes fríos. El picante frío mejora la digestión en general y la de las grasas en particular, pues éstas son calientes y húmedas. Es adecuado para las personas de constitución muy seca que, en cambio, no deben tomar picantes calientes, pues pueden secarse y calentarse demasiado. Por poner un ejemplo de los efectos tan distintos que pueden producir los diferentes tipos de picante, un consumo excesivo de picante caliente causa generalmente dolor de cabeza; en cambio, no ocurre lo mismo si tomamos mucho picante frío. Este último abre los poros y ayuda a despejar la nariz. Por su parte, el caliente puede agravar las inflamaciones, las rojeces, los eccemas, los picores, etc. Si se abusa de los picantes calientes o tibios, los tejidos se secan. Los primeros afectados pueden ser el hígado, que siempre debe estar húmedo y esponjoso, y el pulmón, que también se resiente mucho cuando pierde fluidos. El picante caliente produce incomodidad, nerviosismo y tensión, aumenta mucho el nivel de yang del corazón y puede llegar incluso a alterar la mente y la conciencia. Son alimentos picantes tibios o

calientes la cayena, el ajo, la cebolla o el chili. La menta, el rábano y el *wasabi* son picantes fríos. El *wasabi* (o rábano rusticano) es uno de los mejores alimentos picantes fríos que existe. De venta en tiendas de productos japoneses y herbolarios, se consume mucho en Alemania y el norte de Europa, en general. En Japón, se toma en forma de mostaza.

Picantes y violencia

Para que el cuerpo no nos pida consumir alimentos picantes extremados, como el alcohol y algunas especias, lo ideal es reducir el consumo de carne y sal. La combinación de carne, azúcar y especias calientes puede dar lugar a conductas muy violentas, dado que esas especias tienen tendencia, como el azúcar, a producir una exteriorización muy explosiva de la energía y la tensión acumuladas a causa del consumo de carne. Para comprobarlo, basta observar las zonas donde se consume esa combinación, por ejemplo Colombia y Oriente Próximo.

Cuando uno está tenso o está reprimiendo emociones, el sabor picante relaja mucho. Ésa es una de las causas de que el consumo de tabaco sea tan alto: es un producto picante y, por lo tanto, relaja. Sucede, sin embargo, que los picantes extremos, muy fuertes, tras surtir un efecto desinhibidor y liberar las emociones, producen sequedad en el hígado, con lo que éste vuelve a contraerse y, en consecuencia, las emociones se estancan de nuevo. Los picantes extremos, pues, pueden generar un ciclo vicioso.

Ese es el gran problema, por ejemplo, del bebedor. El alcohólico bebe para sentirse mejor o, lo que es lo mismo, para rebajar la tensión que sufre por uno u otro motivo. En un principio, el alcohol, producto picante en extremo, actúa de modo expansivo y lo relaja y desinhibe; pero cuando ese primer efecto desaparece, la fogosidad del alcohol le calienta el hígado, quema la sustancia de ese órgano y lo deja aún más contraído y tenso que antes de que la persona empezara a beber. Algo parecido les puede pasar también a las personas irascibles con deficiencia de yin de hígado. Con el picante se relajan, pero al poco están aún más agresivas que antes de tomarlo.

Conviene saber que el alcohol, incluso tomado en pequeñas dosis, produce necrosis tanto en el hígado como en el cerebro. El café tiene un efecto parecido: también mina la esencia de los órganos. Por eso hay que tomar preferentemente picantes suaves, como el orégano, el laurel, la menta, el cardamomo, la cebolla cocinada, la cebolleta cocinada, el ajo tierno cocinado, el azafrán, la cúrcuma, etc. El azafrán actúa preferentemente sobre el corazón, armonizando su energía y, en consecuencia, según la medicina tibetana, fomentando, entre otros buenos sentimientos, la compasión. El ajo, por su parte, es un picante bastante caliente, por lo que si nuestro cuerpo presenta síntomas de calor es mejor inclinarse por la cebolla cocinada, que es más suave. La pimienta y el pimentón son picantes en extremo, aunque si uno cuenta con una buena constitución puede tomarlos sin problema, pero siempre con moderación. La pimienta negra debe tomarse siempre en grano, no en polvo, ya que, al estar oxidada, carece de virtudes. Es un buen tónico del riñón. El picante, vinculado con el elemento metal, nutre los órganos asociados con el elemento agua, como es el caso del riñón. Pero, tomado en exceso, causa el efecto contrario: no debemos, pues, tomar demasiada pimienta negra porque secaremos el yin del riñón. Tomada con moderación, potencia el yang del riñón, gracias a lo cual ayuda a orinar bien y estimula la libido. El mismo efecto producen la canela, el ajo, la cebolla o la nuez moscada.

Es sabido que el picante, sobre todo el de raíz, mueve los intestinos perezosos, con lo cual es adecuado para tratar algunos estreñimientos. Sin embargo, si es demasiado caliente puede, por una parte, fomentar la aparición de almorranas y, por otra, producir sequedad en los intestinos, con lo que el estreñimiento se agravaría. Por ello, en este caso también, es mejor inclinarse por picantes fríos, tibios o neutros.

Desde el punto de vista energético, la mejor época para consumir picante es la primavera, cuando el organismo está más falto de fuego. El consumo de picantes le proporciona vitalidad y, además, ayuda a eliminar las toxinas acumuladas durante la estación fría. El picante tibio también prepara a la persona para el verano: sigue la dirección de la energía de la tierra en esa estación.

Algunos picantes, como el ajo, la cebolla cruda y la cayena, pueden empeorar el estado de las personas secas, nerviosas y delgadas. También hay que evitarlos si se observan signos de calor excesivo en el organismo (inflamaciones, fiebre, rojeces, etc.).

Quienes sufran de sobrepeso por comer en exceso deben escoger picantes frescos, neutros o tibios.

Ejemplos:

- Picantes calientes: alcohol, romero, ajo y cebolla y sus familiares, clavo, raíz de jengibre seca, guindilla, pimienta negra, pimientos picantes, cayena, hinojo, anís, eneldo, granos de mostaza y nuez moscada.
- Picantes tibios: jengibre, comino, cardamomo, tabasco, canela (también es dulce y amarga).
- Picantes frescos: menta, mejorana, flor de saúco, rábano rusticano (*wasabi*), rabanito.
- Picantes neutros: taro, nabo y colinabo, albahaca, cúrcuma, azafrán.

Salado

El sabor salado está compuesto del elemento agua y del elemento fuego. Es un sabor yang y caliente, y ayuda a incrementar el chi si se usa de forma moderada. Tiende a mover la energía hacia abajo y hacia dentro. Humedece y desintoxica el organismo y potencia la digestión. Además de resultar beneficioso para los riñones y el bazo-páncreas, tonifica el ánimo y aumenta la capacidad de concentración. Hemos oído muchas veces que la sal es desaconsejable para quienes padecen del corazón. Sin embargo, compensada con proteína tiene un efecto medicinal sobre ese órgano: combate su deficiencia de yang. Una manera excelente de tomarla en los casos de debilidad cardiaca es combinada con yema de huevo. En Japón, para fortalecer el corazón, se toma yema cruda mezclada con $1/3$ de tamari (ranshio).

No conviene abusar del sabor salado. Si se toma en demasía, genera frío en el cuerpo, retardando el metabolismo y produciendo hipoglucemias y retenciones de líquidos. En realidad, normalmente se hace un uso excesivo de él, especialmente en la forma de sal de mesa, que es de pobre calidad.

La sal es «hedonista». Tomarla de forma regular o abusar de ella invita a buscar el placer. Por eso, no debe anular el sabor del alimento que condimenta. Asimismo, el exceso de sal produce agresividad.

Los usos terapéuticos del sabor salado son muchos: se emplea para tratar el estreñimiento de tipo yin —por falta de tono en los intestinos—, las descargas en la piel —forúnculos, eccemas, acné...—, el dolor de garganta —para el cual se recomienda hacer gárgaras con agua con sal—, la piorrea —que se trata lavándose los dientes con sal fina— o algunas infecciones. Además, el sabor salado abre el apetito y potencia la erección.

En cualquier caso, a quienes más beneficia este sabor es a las personas delgadas, secas y nerviosas. Los alimentos de sabor moderadamente salado las humedecen y calman.

El sabor salado ayuda a drenar las toxinas, siempre y cuando se consuma de forma moderada. Pequeñas cantidades de sal facilitan que la energía fluya. En cambio, si se toman grandes cantidades, se produce el efecto contrario: contracción de los vasos sanguíneos, agarrotamiento y bloqueo del flujo de *chi*. Por ello, quienes sufran de edemas o hipertensión deben evitar su consumo en la medida de lo posible (hacerlo del todo es imposible, puesto que todos los alimentos contienen sales o sodio en uno u otro grado). En caso de que se sufra de sobrepeso, también hay que moderar el consumo, porque la sal retiene líquidos. A la hora de cocinar, puede también sustituirse por algas, porque a pesar de que son un alimento de sabor salado no contienen tanto sodio como otros y el yodo y los minerales que aportan activan el metabolismo, la digestión y la energía.

La naturaleza descendente del sabor salado casa con las estaciones y los climas más fríos y debería formar parte de la dieta, sobre todo en otoño e invierno.

Las fuentes de sabor salado por excelencia son la sal,[23] claro está, y las algas (el alga *kelp*, el alga *kombu*, el alga *dulse*, etc.), el perejil, las almendras, el pescado y otros frutos del mar. La cebada y el mijo también poseen cierta cualidad salada, aunque fundamentalmente son dulces. Productos hechos con cantidades importantes de sal son la salsa de soja,[24] el miso, los encurtidos, la ciruela *umeboshi* y el *gomashio*.

23 Consumir sal marina o del Himalaya y añadirle a la cocción para armonizar su importante efecto contractivo.
24 Salsa de soja, tamari: el tamari es más espeso y se usa en estofados y sopas.

Amargo

Quizá el menos valorado y usado de los sabores es el sabor amargo, compuesto de los elementos éter y aire. Canaliza la energía en dirección descendente y es, casi siempre, de naturaleza fría. Se emplea para bajar la energía y el yang cuando hay un exceso de fuego en los órganos.

Actúa preferentemente sobre la zona cardiaca, donde elimina el calor y limpia las arterias de depósitos de mucosidad, colesterol y grasas. En general, tiende a bajar la presión de la sangre —el apio es un alimento adecuado para este propósito—. Asimismo, desbloquea y refresca el hígado cuando el consumo excesivo de alimentos grasos lo bloquea y calienta.

El amargo es antipirético —baja la fiebre, seca los fluidos y drena la humedad—, de modo que consumirlo en exceso seca. También seda a las personas excesivas: robustas, extrovertidas, de voz potente y complexión colorada. Terapéuticamente, se utiliza en los casos de inflamación o infección. Debido a que canaliza la energía hacia abajo, es útil también para tratar el estreñimiento, las cefaleas, las migrañas y la hipertensión. Por el mismo motivo, puede ser diurético. Las hierbas y otros productos amargos son grandes drenantes de la humedad y, por lo tanto, resultan de mucha ayuda a la hora de combatir las cándidas, los parásitos, las mucosidades, las erupciones en la piel, los abscesos, los tumores, las cistitis, la obesidad y las acumulaciones húmedas.

Asimismo, el sabor amargo aumenta las contracciones intestinales y, como decíamos, tomado en pequeñas dosis, envía energía a los riñones y ayuda a descongestionar los pulmones. Los alimentos amargos son muy útiles para remover las mucosidades que se generan en los pulmones, debido a un exceso de calor y humedad, y que se traducen en descargas de moco amarillo.

Alimentos amargos

El sabor amargo abunda en el mundo vegetal: en las hojas verdes, en las cáscaras, en la piel de las frutas, etc. Existen diferentes tipos de sabores amargos dependiendo de su temperatura. El café se considera un amargo caliente. El resto son más fríos. Es, en general, un sabor desintoxicante, que se usa en dietas de adelgazamiento porque elimina el calor húmedo y tiene la capacidad de potenciar el drenaje de los desechos, tanto por vía urinaria como fecal, pero hay que tener cuidado con él porque, salvo en el caso del café, enfría. Por cierto, mucha gente que sufre de deficiencia de yang en el bazo-páncreas se aficiona al café, pero su consumo tiene un elevado coste biológico y afecta a las reservas de esencia.

A quienes más beneficia el sabor amargo es a las personas con sobrepeso, letárgicas, húmedas o que sufren de exceso de calor. Asimismo, calma a las personas agresivas y estimula a las conformistas a plantearse nuevos retos.

En cambio, deben hacer un uso muy moderado de él las personas frías, débiles, delgadas o nerviosas; y también quienes padezcan de deficiencia de yin en el corazón y el hígado, aunque sean obesos, pues puede provocarles palpitaciones, pesadillas y sensación de angustia, gracias a su capacidad de secar la sangre. En concreto, las personas anémicas deben tomarlo con especial moderación.

En cualquier caso, nunca es bueno tomar muchos alimentos de sabor amargo. Con una pequeña cantidad diaria es suficiente. Consumirlo en exceso produce, aparte de consecuencias orgánicas, frustración, amargura e incapacidad para disfrutar de la vida.

El consumo de alimentos de sabor amargo debe aumentar durante el otoño y el invierno. Así, el organismo podrá contraerse con mayor facilidad, como demanda la estación fría, y recibir energía en su parte baja cuando más lo necesita.

En la página 75 vemos algunos ejemplos de alimentos de sabor amargo únicamente o de sabor amargo combinado.

Dulce

El sabor dulce está compuesto del elemento tierra más el elemento agua. Al participar de los dos elementos más consistentes, es un gran tónico de la energía y de la sustancia, esto es, de los tejidos, a la vez que ayuda a hidratar y lubricar el organismo. Como ya dijimos, debe ser el sabor predominante en nuestra dieta. Sin embargo, no todos los alimentos de sabor dulce producen el mismo efecto, ni sirven por igual para conformar una dieta saludable.

De hecho, existen tres grandes tipos de dulce: el lleno (fortalecedor y tonificante, que se encuentra en los cereales, las verduras, los frutos secos, las semillas y las legumbres en forma de carbohidratos complejos), el vacío (de propiedades refrescantes, que se encuentra en las frutas y que, más que fortalecer, limpia y drena) y el químico (un producto extremado que se encuentra en el azúcar blanco y moreno, en el de caña —aunque no esté refinado—, en el chocolate, la miel, la fructosa, la sacarina, el aspartamo, el sorbitol, etc., y que tiene justamente el efecto contrario al del sabor dulce lleno: es acidótico y anti-tonificante, y consume las reservas de minerales y las estructuras internas del organismo).

Cuando se encuentra en alimentos calientes, el sabor dulce de buena calidad ayuda a la energía a expandirse hacia arriba y hacia fuera del cuerpo. Es un sabor armonizador con un suave efecto relajante de la tensión. Tonifica el yin, los tejidos y los fluidos del organismo, por lo que resulta especialmente recomendable para las personas delgadas y secas.

Asimismo, combate la debilidad y, en general, las carencias energéticas del organismo.

Los efectos del dulce

El dulce es, en general, de naturaleza más bien fría, fresca o neutra, aunque hay alimentos de sabor dulce que son de naturaleza tibia o caliente. Éstos, entre los que se encuentran el mijo, el trigo sarraceno o la zanahoria, tonifican más la energía.

En cuanto a sus efectos sobre los órganos, el sabor dulce sano, procedente de productos integrales, es un gran tónico del bazo-páncreas. Tonifica tanto el

Amargo	Amargo y picante*
Ruibarbo (frío)	Cúrcuma (neutro)
Diente de león (frío)	Piel de limón (tibio)
Semilla de eneldo (tibio)	Hoja de rábano (fresco)
Piel de uva (tibio)	Cebolleta (tibio)
Achicoria (fresco)	Nabo (fresco)
Alfalfa (neutro)	Café (amargo caliente)
Escarola (fresco)	
Centeno (neutro)	
Endivia (fresco)	
Genciana (frío)	
Piel de mandarina (tibio)	
Té verde (fresco)	

Amargo y dulce	Amargo y ácido
Ginseng (tibio)	Pomelo (fresco)
Amaranto (fresco)	Aceituna (neutro)
Espárrago (fresco)	
Apio (fresco)	
Lechuga (fresco)	
Quinoa (neutro)	
Alcachofa (fresco)	
Mijo (tibio)	

Entre paréntesis, la naturaleza termal del alimento.

* Así se entiende que, por ejemplo, la cebolleta, a pesar de tener un trofismo ascendente, también envíe la energía hacia abajo y potencie la digestión, seque flemas, etc.

yin como el yang de bazo, por lo que contribuye a mejorar la digestión. También ayuda a tonificar el pulmón. La necesidad de tomar algo dulce que mucha gente siente después de comer, responde la mayoría de las veces a una carencia de yin en el pulmón. Igualmente, gracias a su efecto dispersante, apacigua las emociones negativas relacionadas con estancamientos de la energía del hígado. Tradicionalmente, se usa para calmar ataques de hígado, porque seda la energía de ese órgano. De hecho, a las personas enfermas de hepatitis suele apetecerles mucho comer dulce. Por último, humedece los pulmones y el estómago y relaja el corazón y la mente.

Cuando se abusa del dulce de mala calidad, se sufre de exceso de humedad, lo que se traduce en sobrepeso y celulitis y, en ocasiones, en dispersión mental y duda o indecisión casi patológica.

Como el dulce produce sensación de autosuficiencia, si uno toma mucho dulce lo que logra es evadirse o, como suele decirse ahora, desconectarse. Prueba de ello es que mucha gente recurre al chocolate y otros dulces cuando sufre un disgusto afectivo. No es bueno, por ello, abusar del sabor dulce cuando hay que estar bien comunicado y tener empatía con el exterior (por ejemplo, cuando uno ha de hablar en público, estudiar, asistir a una clase o impartirla, etc.).

Al igual que ocurre con los alimentos picantes calientes, el dulce caliente prepara el organismo para la llegada de la primavera, momento en el que está falto de fuego (dulces calientes son, por ejemplo, el arroz dulce, la patata dulce, el *mochi*, el *amasake*, el sirope de arroz, la semilla de girasol, el piñón, la nuez, la cereza, el mijo y la quinoa). En cualquier caso, el sabor dulce es muy útil en todas las épocas del año y resulta especialmente aconsejable tomarlo, por su poder armonizador, cuando llega un cambio de estación.

Como avanzábamos anteriormente, el sabor dulce beneficia especialmente a las personas secas, nerviosas, delgadas o débiles. De igual manera, su efecto armonizante redunda en provecho de las personas agresivas. Por el contrario, quienes sufren de sobrepeso o presentan signos de exceso de humedad, por ejemplo mucosidades, deben tomar alimentos dulces sólo de forma esporádica. Cuando el sabor dulce se ingiere mediante al consumo de granos (arroz, avena, trigo), resulta beneficioso para toda clase de personas.

Entre los alimentos que se consideran dulces figuran todos los granos (aunque el centeno, la quinoa, el mijo y el amaranto también son amargos), todas las legumbres, los lácteos, los aceites y la mayoría de los pescados y las carnes.

Otros alimentos dulces

Frutas y frutos secos	Verduras
Melón (neutro)	Col (neutro)
Manzana (fresco)	Remolacha (fresco)
Lichi (tibio)	Calabaza (p)
Albaricoque (tibio)	Zanahoria (tibio)
Cereza (tibio)	Pepino (fresco)
Uva (a) (neutro)	Acelga (fresco)
Aceituna (a) (neutro)	Berenjena (fresco)
Melocotón (a) (tibio)	Lechuga (am) (fresco)
Pera (a) (fresco)	Patata (neutro)
Fresa (a) (fresco)	Seta shitake (neutro)
Tomate (a) (fresco)	Apio (am) (fresco)
Cereales	**Endulzantes**
Trigo sarraceno	Amasake (tibio)
Mijo (s) (tibio)	Melaza de cebada (tibio)
Arroz integral (neutro)	Melaza de arroz (neutro)
Quinoa (neutro)	Sirope de arroz (neutro)
Amaranto (fresco)	Melaza pura de caña-raspadura (tibio/neutro)
Cebada (s) (fresco)	Stevia (am) (neutro)
Trigo (fresco)	Miel (tibio)

(a) también ácido (am) también amargo (p) también picante
(s) también salado

Además de los cinco sabores principales, existen otros dos que también deben tomarse en consideración, a saber, el soso y el astringente.

- Sabor soso: es un derivado del salado; pertenece al elemento agua e influye en el riñón (es diurético). Es el sabor de la lechuga escaldada, del agua o de algunas tisanas muy diuréticas, como la de cola de caballo o la de cabellera de maíz.

- Sabor astringente: está vinculado con el elemento metal y el sabor picante; sin embargo, sus elementos constituyentes son tierra y aire, por lo que es un sabor que enfría. Tiende a secar los tejidos, por lo que combate las diarreas y las inflamaciones de las mucosas. Es el sabor del limón o la manzana rallados, del pomelo o de cualquier alimento muy seco. En la cocina, se usa como contrapunto en un plato muy húmedo o graso.

TÉCNICAS DE COCINA

Observaciones sobre algunos estilos de cocción

Cocer al vapor

Un alimento se hace al vapor cuando se cuece por encima de la superficie del agua y no sumergido en ella. Es decir, lo cuece el vapor del agua hirviendo. Para ello hará falta una cesta perforada que mantenga la comida fuera del agua. Actualmente existen ollas especiales muy variadas para cocinar al vapor.

Hervir a fuego lento

Se considera que el agua hierve a fuego lento cuando «se mueve» ligeramente y aparecen algunas burbujitas. Suele utilizarse para preparar sopas, estofados, cereales o verduras y constituye la base de la mayor parte de la cocina con líquidos.

Hervir

El agua hierve cuando aparecen en ella burbujas grandes y «se ve mucho movimiento». La temperatura es ligeramente más elevada que la de hervir a fuego lento. Para preparar pastas o ensalada hervida hay que hervir agua y mantener el fuego intenso. En cambio, tras llegar a la ebullición, hay que bajar el fuego para cocinar la mayor parte de los cereales.

Olla a presión

Se utiliza principalmente para la cocción de arroz integral, espelta, cebada, avena, etc. y algunas legumbres como el garbanzo, la soja amarilla o verde y los *azukis*, cuando se busque ahorrar tiempo y aumentar la digestibilidad. Es muy conveniente en otoño, invierno y principio de primavera, para facilitar la digestión y aumentar la energía en el centro del cuerpo.

Rehogar

La verdura primero se hierve y, luego, se saltea. Es una cocción doble del alimento y se suele hacer con hoja verde (acelgas, espinacas) para darle untuosidad y para suavizarla. Las verduras verdes rehogadas tienen efecto laxante (amargas, con fibra y lubricantes). Si se pasa de tiempo, puede perder valor vitamínico.

Saltear

El salteado es una técnica muy utilizada en la cocina oriental. **Saltear no** es lo mismo que **sofreír** y es uno de los métodos culinarios que **requiere menos aceite** y menos tiempo. Para ello, hay que cortar la comida en trocitos pequeños, para aumentar considerablemente la superficie total del alimento que estará en contacto con el aceite, del que se necesita una cantidad mínima para que la comida no se pegue a la sartén. Los alimentos salteados son mucho más saludables y recomendables que los fritos en abundante aceite. Además, los sofritos suelen producir flatulencia caliente (gases con mal olor) y los salteados no.

Cuando salteamos la comida, los ingredientes conservan todo su sabor y adquieren una textura al dente. **El salteado necesita 5-10 minutos**, el sofrito dura más y usa más aceite. En el salteado, el fuego está a menor intensidad que en el frito.

La Nituke es un salteado que dura de 20 a 25 minutos. Apropiado para otoño e invierno.

Hay varias maneras de freír. Cuando se fríe algo en una sartén, el aceite cubre el alimento más o menos hasta la mitad, aunque también podemos freír en abundante aceite, sumergiendo totalmente la comida en él.

El frito suele deteriorar la calidad nutritiva del alimento y producir una tendencia a las inflamaciones y otros síntomas de calor en el cuerpo.

RECOMENDACIONES IMPORTANTES

• La **sal y el shoyu o tamari** se utilizarán siempre cocinados, nunca crudos. El shoyu es más diluido que el tamari y se usa preferentemente en platos y cocina más ligera.

• El **tamari** y el **shoyu** se rociarán sobre la verdura, las legumbres o las sopas, pero nunca sobre el cereal. Y siempre en el fuego, nunca en el plato.

• El **gomashio** (ver sección «Condimentos») se espolvoreará siempre sobre el cereal, nunca sobre la verdura: una cucharadita de té por plato.

• Si nuestra salud es delicada, el **pan integral de levadura madre** es mejor consumirlo al vapor, en vez de seco o tostado.

• Las **leches vegetales** pueden rebajarse con agua mineral y todas deben hervirse con una pizca de sal (la canela en rama, el jengibre y la piel de limón también son recomendables para favorecer su digestión).
La leche de soja hay que hervirla 25-30 minutos como mínimo (pues es de naturaleza fría) y sólo se utilizará esporádicamente en épocas de calor (no en invierno) y si la digestión es fuerte.

• Los **cereales** deberán lavarse bien antes de ser cocinados.

• Antes de cocinar la **quinoa**, hay que sacar todas las piedrecillas que pueda tener, colocándola en un plato blanco para ver mejor. Pasar la quinoa a un colador de malla fina y lavarla bien bajo el grifo, para eliminar las saponinas (que producen espuma al cocinarla).

• El **arroz integral** puede ponerse en remojo un mínimo de 30 minutos antes de ser cocinado. Incluso puede dejarse en remojo unas horas o toda la noche. Como variante, si se desea una textura más cremosa y especialmente en verano y en otoño, podemos dejarlo en remojo 12 horas.

• El **tofu** debe consumirse siempre cocinado, nunca crudo.

• Evitar el **ajo** y la **pimienta** en caso de hemorroides, picores, problemas en la piel, insomnio, accesos de cólera, irritabilidad o trabajos espirituales. En general, es más recomendable utilizar el **jengibre**, aunque tampoco debe usarse en casos de problemas de piel con prurito.

COMBINACIONES DE GRANOS CON ALTO NIVEL PROTEICO

Al añadir **quinoa y amaranto** al **cereal** (arroz, mijo, cebada, sarraceno, avena, etc.), ambos en igual proporción y sumando los dos $1/3$ aproximadamente del

volumen total de cereal, se consigue un alto aporte proteico de excelente calidad.

Si se añaden, además, **3 o 4 cucharadas de legumbre** bien cocinada (la piel siempre suave y blanda) y 1 cucharadita de sésamo tostado y triturado o **gomashio**, el nivel proteico supera con mucho al de la carne.

La combinación de **cereal integral** en grano con **legumbre ($1/3$ del cereal) y sésamo tostado triturado** tiene también un nivel proteico superior a la carne.

Combinaciones con un alto nivel proteico
Cereal + quinoa y amaranto + sésamo tostado triturado
Cereal + legumbre + sésamo tostado triturado
Cereal + legumbre + quinoa y amaranto + sésamo tostado triturado

Cereales y legumbres

Cereales: arroz, mijo, avena, cebada, trigo sarraceno, quinoa, amaranto...

Legumbres: lenteja, azuki, judía blanca, garbanzo...

Deben quedar muy bien cocinados

TABLA DE ÓRGANOS CON LAS ESTACIONES Y COCCIONES CORRESPONDIENTES

Órganos	Hígado Vesícula Biliar	Corazón Intestino delgado	Estómago Páncreas Absorción intestinal	Pulmón Intestino grueso	Riñón Vejiga Genitales
Elemento	Madera	Fuego	Tierra	Metal	Agua
Estación en que se recomienda	Primavera	Verano	Agosto	Otoño	Invierno
Estilos de cocción recomendados	Fermentados/ Pickes cortos	Ensalada cruda	Vapor	Vapor	Hervidos
	Ensalada hervida o escaldada	Ensalada prensada	Estofados	Nishime (estofado largo)	Sopas
	Salteado rápido chino sin tapa (3-7 min)	Ensalada hervida o escaldada (Fuego Alto)	Salteado corto	Fritos	Vapores con más agua
	Germinados	Salteados cortos con movimiento	Escaldados	Salteado largos (Nituke)	Estofados largos a fuego lento
				Plancha (Grill)	Pickles largos
				Horneados (si hace mucho frío y humedad)	Horneados (si hace mucho frío y humedad)

SIMBOLOGÍA

Código de colores

○ **EN COLOR ROJO**

Recetas que tienen **efecto reconstituyente** y que aumentan los fluidos y la sustancia básica de los órganos y el cuerpo.

Ayudan a aumentar la masa corporal y muscular y facilitan la recuperación después de enfermedades o episodios de estrés importantes, en los cuales haya habido una disminución de la sustancia corporal y, consecuentemente, una disminución de defensas y de la resistencia del cuerpo.

Son platos buenos para la convalecencia tras alguna enfermedad (esa excelente costumbre perdida) o para la gente que tiene tendencia a adelgazar en exceso y le cuesta ganar peso. También son recetas adecuadas para deportistas o gente que sufre importantes desgastes. Junto con los platos que fortalecen la digestión (en color amarillo), ayudan a combatir la anemia.

○ **EN COLOR NARANJA**

Platos que tienen **efecto energizante**, aumentan la vitalidad y la concentración.

Son útiles para el ejercicio físico; pueden aumentar la libido (según la receta) y, en general, aumentan el tono energético del cuerpo y la mente, favoreciendo la concentración.

○ **EN COLOR AMARILLO**

Son recetas que **refuerzan las funciones digestivas**; mejoran la digestión y asimilación de los alimentos, y evitan la flatulencia y la distensión abdominal después de comer. Ayudan a que la digestión sea más rápida y no suframos somnolencia ni cansancio.

Ayudan, también, a las funciones depurativas y a regular el peso, así como a salir de la anemia.

○ **EN COLOR VERDE**

Platos que tienen **efecto depurativo y/ o adelgazante**. Ayudan a drenar y a limpiar la sangre, la linfa y los fluidos de toxinas y acumulaciones. Favorecen el trabajo de los órganos de eliminación y la purificación del organismo.

○ **EN COLOR VIOLETA**

Recetas que tienen **efecto relajante**, calman la ansiedad, los nervios, y apaciguan el espíritu. Pueden ayudar a dormir mejor a personas con insomnio o con tendencia a él.

Código de las estaciones del año

Para gozar de buena salud, el cuerpo debe adaptarse a la atmósfera de cada estación; y cada estación, por sus características (ver capítulo sobre los cinco elementos), pide unos alimentos y recetas que le son apropiados. Algunos platos pueden tomarse en más de una estación, por su equilibrio energético.

 Plato recomendable en **primavera**

 Plato recomendable en **verano**

 Plato recomendable en **otoño**

 Plato recomendable en **invierno**

Código técnico

 Tiempo de elaboración del plato

 Número de comensales

 Tiempo de cocción del plato

Código de alimentos

 Sopas y Cremas

 Cereales

 Verduras de tierra y
verduras de mar (algas)

 Proteína

 Postres y meriendas

 Salsas y aliños

 Condimentos

 Bebidas

 Bebidas medicinales

 Aplicaciones externas

Sopa de miso
clásica

Efecto digestivo

5 min 4 personas 20 min

Ingredientes

1 **cebolla** cortada fina
1 **zanahoria** a medias rodajas
Una hoja de **col** cortada bien fina
5 cm de alga **wakame**, remojada y cortada a trocitos
1 litro de **agua mineral** o caldo de verduras o de pescado
1 cucharada de **aceite de sésamo o de oliva** prensados en frío
1 cucharada rasa de **miso de cebada** (no pasteurizado) y perejil fresco picado

1. Calentar una olla con un poquito de aceite, añadir la cebolla y saltearla durante 5 minutos con una pizca de sal.

2. Añadir la col, la zanahoria y el alga, cubrir con el agua mineral y hervir medio tapado durante 15 minutos a fuego suave.

3. Poner el miso en un bol y diluirlo con un poco del mismo caldo. Añadirlo a la sopa y dejar cocer a fuego mínimo, sin que hierva, durante 3 minutos.

4. Servir caliente con perejil fresco.

VARIANTES

- Esta es una **versión otoño-invierno** de la sopa de miso básica: para que dé más calor interior, añadir unas gotas de jengibre rallado y escurrido al final de la cocción. En **primavera-verano** se puede hacer más ligera echando directamente las verduras troceadas al agua hirviendo, en vez de saltearlas en aceite, e hirviéndola sólo 8 ó 10 minutos. Y en pleno verano queda deliciosa fresquita, servida con germinados de alfalfa, dados de pepino y una rodaja de limón.
- Utilizar las verduras de la estación: apio, puerro, nabo, calabaza, hinojo…
- La cantidad estándar **de miso** es de $^1/_2$ cucharadita de postre por bol de sopa: que quede sabrosa, ni salada ni sosa.
- Podemos incluir legumbres cocidas como lentejas, azukis, garbanzos…
- También podemos añadir sobras de arroz, mijo o trocitos de tofu. Algunos trocitos de mochi, horneado o pasado por la sartén, son un ideal complemento para sopas de invierno.
- Dependiendo de cada persona, se puede añadir una seta **shiitake** o un poco de **daikon seco** (ambos previamente remojados durante 30 minutos)

Propiedades

- Tonifica la energía, mineraliza y alcaliniza la sangre, activando la circulación y eliminando el cansancio. Tiene importantes propiedades antirradiactivas y elimina metales pesados. Potencia la digestión y los riñones.
- La seta **shiitake** ayuda a relajar y desintoxicar el hígado, quita tensión y ayuda a eliminar la proteína animal acumulada en el cuerpo.

Sopa minestrone
con mijo y garbanzos

● Efecto reconstituyente

10 min   4-5 personas   25 min

Ingredientes

Variedad de verduras troceadas pequeñas

1 taza de **garbanzos** cocidos (con el jugo y el **alga kombu** de su cocción)

½ taza de **mijo** (lavado)

2 litros de **agua mineral** o **caldo vegetal fresco**

Aceite de sésamo, sal marina, laurel

1. Saltear los puerros o la cebolla con un poco de aceite y agua. Dejar que la cebolla libere todo su gas. Añadir el resto de verduras, el mijo, el agua, sal, laurel y llevar a ebullición.

2. Bajar el fuego y cocinar a fuego lento, medio tapado, durante 20-25 minutos.

3. Añadir los garbanzos cocidos junto con el jugo de su cocción. Rectificar de líquido según la consistencia deseada, y de sabor, si hiciera falta, con salsa de soja. Dejar cocer 3 minutos más a fuego muy lento.

4. Dejar reposar unos minutos y presentar el plato con perejil picado y un toque de pimienta negra o blanca recién molida, si la digestión es débil.

VARIANTES

- Combinaciones de 3 a 5 verduras: cebolla, puerro, col, apio, zanahoria, nabo, calabaza, coliflor, hinojo...
- Sustituir los garbanzos por otra legumbre bien cocinada o por taquitos de tofu pasado por la sartén.
- **Versión rápida:** sustituir el mijo por pasta integral o por cereal integral cocido. Reducir el tiempo de cocción a 10 minutos.
- **Versión de otoño:** con calabaza y canela en rama.
- **Versión de invierno:** al final de la cocción, añadir un poco de miso de cebada diluido en agua y unas gotas de jugo de jengibre.

Propiedades

- Restituye la sustancia básica en los órganos digestivos, nutriendo y reforzando el cuerpo y el centro.
- Excelente para reforzar el estómago y el páncreas.
- Refuerza la concentración y la capacidad de acción (para los deportistas, por ejemplo).
- Los garbanzos deben estar muy hechos.

Sopa de sarraceno
y verduras de raíz

Efecto digestivo

❄

10 min | 4-5 personas | 45 min

Ingredientes

2 **zanahorias** cortadas a dados
2 **nabos** cortados a dados
2 **chirivías** cortadas a dados (evitarlas si se tienen tumores)
1 **cebolla** grande cortada a dados
1 rama de **apio** cortada fina
4 cucharadas de **trigo sarraceno**
Aceite de s**ésamo de primera presión en frío**
Sal marina o salsa de soja (shoyu)
Agua mineral

1. En una olla con aceite de sésamo, saltear la cebolla con una pizca de sal, a fuego lento, hasta que esté transparente.

2. Añadir el resto de los ingredientes y agua hasta que cubra. Salar al gusto y hervir a fuego lento durante 45 minutos.

3. Rectificar de agua según la consistencia deseada y servir con perejil picado.

VARIANTES
• Otros cereales como el mijo y la quinoa.
• Otras verduras: puerro, apio, col, hinojo... Esta sopa es deliciosa con calabaza.

Propiedades

• Especialmente indicada para los días más fríos del año. Calienta el cuerpo y tonifica los riñones y la energía en general. Promueve la actividad. Puede estimular la libido.
• Fortalece la digestión y el fuego interno.

SOPAS Y CREMAS

Sopa de quinoa,
amaranto y alga dulse

1. Saltear los puerros con un poco de aceite y sal. Añadir la zanahoria, el caldo, la quinoa, el amaranto, la cúrcuma, el orégano y otra pizca de sal. Llevar a ebullición y cocinar a fuego lento, media tapa, durante 20-25 minutos.

2. Añadir la dulse, dejar reposar unos minutos y servir con aceite de lino y perejil.

Propiedades

• Sopa nutritiva, proteica y energética; ideal para reponer fuerzas y regenerar el desgaste físico. Va muy bien para el deporte y el ejercicio físico.
• Digestible y ligera.

Efecto digestivo

10 min   4-5 personas   25 min

Ingredientes

2 litros de **agua mineral** o caldo vegetal fresco
1 **puerro** (cortado fino)
1 **zanahoria** (a medias rodajas)
½ taza de **quinoa** (bien lavada) y
2 cucharadas de **amaranto**
¼ cucharadita de **cúrcuma** y
½ cucharadita de **orégano**
1 cucharada de **alga dulse**
(en remojo durante 2-3 minutos, escurrida y cortada)

Crema de calabaza
o zanahoria

Efecto digestivo

⏱ 10 min   👥 4-5 personas   ♻ 15 min

Ingredientes

4 **cebollas** grandes (a media luna)
3 **zanahorias** (a rodajas) o
½ **calabaza** pequeña (a trozos)
5 cm de **kombu**
Aceite de **sésamo** o de **oliva**
Una pizca de **sal**
Agua mineral
1 rama de **canela** (opcional)

1. Saltear las cebollas con un poquito de aceite y una pizca de sal, durante 10 minutos, añadiendo ½ cucharón de agua si se pega al fondo.

2. Añadir el resto de ingredientes, un poco más de sal y agua hasta que cubra.

3. Tapar y cocinar a fuego lento durante 15 minutos. Retirar la kombu (aclarar y guardar en la nevera) y pasar por el pasapurés, rectificando el líquido, con agua o leche de avena, según la consistencia deseada. Servir con perejil o cebollino.

VARIANTES

- Esta es la **receta base** para preparar cualquier **crema de verduras,** añadiendo a la cebolla bien cocida otras verduras de temporada: coliflor, apio o calabacín.
- **Para combatir el frío:** añadir unas gotas de jugo de jengibre fresco.
- **Versión rápida:** para evitar el pasapurés, cortar las zanahorias a daditos y servirlo como una sopa de verduras. En este caso, también queda deliciosa con alga wakame, cortada a trocitos y cocinada junto con las verduras.

Propiedades

- Lubrica y fortalece los órganos digestivos (estómago e intestinos).
- Ayuda a la digestión y aumenta la energía y resistencia física.
- También es relajante.

Crema de lentejas
coral

Efecto reconstituyente

10 min · 4-5 personas · 30 min

Ingredientes

1 tazón de **lentejas Coral**
(rojas peladas)

5 cm de **alga kombu**

Variedad de verduras: **cebollas,
zanahorias, hinojo fresco, calabaza…**

Semillas de hinojo o **eneldo en polvo**
(opcional)

**Laurel, aceite de oliva, sal marina,
perejil fresco**

Agua mineral

1. Colocar las lentejas en un colador y lavarlas bajo el grifo de agua fría. Pasarlas a una olla de acero inoxidable de doble fondo, añadir 4 tazas de agua, llevar a ebullición y espumar. Añadir el alga kombu y las semillas en polvo. Tapar, poner difusor y hervir a fuego lento durante 20-30 minutos.

2. En otra cazuela, saltear las verduras con un poco de aceite y una pizca de sal: primero las cebollas y, una vez doradas, añadir el resto de las verduras. Saltear 3-4 minutos, añadir el laurel y agua caliente que cubra.

3. Llevar a ebullición, añadir las lentejas hervidas a las verduras, una pizca de sal, y hervir suavemente hasta que las verduras estén blandas.

4. Para una consistencia más cremosa, utilizar el pasapurés. Servir con perejil.

Propiedades

- Restituye la sustancia básica en los órganos digestivos, nutriendo y reforzando el cuerpo.
- Refuerza la sangre, y el rendimiento intelectual si se añade aceite de sésamo de primera presión en vez de aceite de oliva.

Caldo de kombu

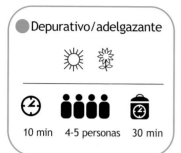

Depurativo/adelgazante

10 min   4-5 personas   30 min

Ingredientes
Verduras básicas: **cebolla, puerro, apio, nabo, zanahoria, col** y **alga kombu**
Agua mineral
Shoyu

1. Llenar una olla con 1,5 litros de **agua mineral fría** y añadir una tira de **alga kombu** y las partes menos vistosas de las verduras que se utilicen para otros platos, así como las que ya tengan poca presencia.

2. **No añadir sal**, para que todos los nutrientes de las verduras pasen al caldo.

3. Llevar a ebullición y hervir a fuego lento y media tapa, durante 30 minutos.

4. Antes de colar el caldo, retirar la kombu (lavarla bajo el grifo y reservar en la nevera, destapada, para utilizarla en una cocción posterior).

5. En verano, se puede hervir sólo la kombu, guardar en la nevera y añadir alguna verdura cada vez que se quiera preparar el consomé, hirviendo de 7 a 10 minutos.

Variantes
- En verano, se puede añadir tamari o shoyu, haciendo así un excelente **consomé refrescante.**
- Para hacer un buen **caldo base de pescado**, añadir a las verduras variedad de pescado (de roca, la cabeza y espinas de pescado blanco) y una cucharada de vinagre de arroz, para que los minerales del pescado pasen al caldo. Sin salar, llevar a ebullición, espumar y hervir a fuego suave durante 20 minutos.

Propiedades
- Sopa remineralizante, excelente para el sistema nervioso y para eliminar toxinas y depurar los tejidos (si no se le añade pescado). Este caldo, con pescado, no es depurativo sino reconstituyente.

Sopa de verduras

1. Trocear las verduras y añadir 1 litro de agua.

2. Cocinar los distintos ingredientes de 15 a 20 minutos y añadir al final un poco de sal marina.

3. Se puede pasar por el pasapurés o el chino, para hacerla más cremosa. Si se quiere fortalecer el sistema digestivo o se cocina para niños, no debe usarse la batidora.

Propiedades

• Sopa remineralizante, alcalinizante.
• Depurativa.

● Depurativo/adelgazante

10 min   2 personas   30 min

Ingredientes

Verduras variadas de temporada:
2 **puerros o cebollas** (cortados finos)
1 trozo de **apio** (cortado pequeño)
2 **zanahorias** (a cuadritos)
1 **nabo** (a cuadritos)
Acelgas (picadas)
Sal marina
Agua mineral

Sopa depurativa

 Depurativo/adelgazante

10 min   4-5 personas   50 min

Ingredientes

100 g de **daikon seco**, remojado ½ hora en agua que cubra

4-5 **shiitake**, remojados ½ hora, sin tallos y finamente cortados

2 tiras de **alga kombu** de 15-20 cm, remojadas y cortadas finamente

El agua de remojo del **daikon** y de los **shiitake**

1 l de **caldo de verduras fresco** y **Salsa de soja (shoyu)**

1. Colocar el alga kombu en el fondo de la olla.

2. Agregar el daikon y los shiitake, junto con el agua de remojo.

3. Añadir agua que cubra, tapar y llevar a ebullición. Cocinar a fuego lento, durante 45 minutos o hasta que la kombu esté muy blanda.

4. Añadir el caldo de verduras y condimentar con unas gotas de salsa de soja.

Propiedades

• Es un plato muy depurativo y sólo debe tomarse cuando realmente se requiere, o si el médico lo indica. Sirve para eliminar el exceso de sal, grasa y toxinas, especialmente de origen animal. Contribuye a eliminar la ansiedad y es de mucha ayuda cuando se siguen dietas de adelgazamiento y para combatir la arterioesclerosis.

• Elimina toxinas de origen animal del cuerpo.

 SOPAS Y CREMAS

Fumet de pescado

1. Llenar una olla con agua mineral fría y añadir una tira de alga kombu, el pescado limpio y las partes menos vistosas de las verduras que se utilicen para otros platos, así como las que ya tengan poca presencia.

2. Añadir una buena cucharada de vinagre de arroz para que los minerales de las espinas pasen al caldo. No añadir sal, para que todos los nutrientes de las verduras también pasen al caldo.

3. Llevar a ebullición y espumar. Añadir los condimentos y hervir a fuego suave y a media tapa, durante sólo 20 minutos. Colar y utilizar para guisos y sopas.

Propiedades

- Para la artrosis y hernia discal. Cuando se intente regenerar el cartílago y los ligamentos se puede tomar tres veces por semana. Es un plato reconstituyente y energizante, remineralizante y nutritivo, al tiempo que digestivo y dinamizante.
- Para reforzar las articulaciones y el sistema óseo en general, añadir las raspas de pescados gelatinosos como la raya.
- Para elaborar un caldo de sabor y color delicado, evitar las verduras de color verde oscuro.

● Efecto reconstituyente

10 min   30 min

Ingredientes

Pescado de roca, cabeza y espinas de pescado blanco fileteado
Variedad de verduras: **cebolla, puerro, apio, nabo, hinojo, zanahoria...**
1 cucharada **de vinagre de arroz**
Condimentos: unas briznas de **azafrán, ajo** o la cantidad equivalente de **jengibre, laurel y perejil**
Agua mineral

Sopa de rape
con quinoa

● Efecto reconstituyente

5 min   2-3 personas   30 min

Ingredientes

2 **cebollas** (cortadas a medias lunas)
1 penca de **apio** (cortada fina)
1 **zanahoria** (a dados pequeños)
½ **bulbo de hinojo** (a dados)
1 taza de **quinoa** cocida
250 g de **rape** (limpio y macerado en limón y aceite)
Unas hebras de **azafrán**, un diente de **ajo o la cantidad equivalente de jengibre** sin pelar, y 1 hoja de **laurel**
7 **almendras** tostadas y picadas finas
Caldo de pescado o **agua mineral**

1. En una olla con un poco de aceite, saltear las cebollas con una pizca de sal marina, durante 10 minutos.

2. Añadir el resto de verduras, una pizca de sal, azafrán, ajo, laurel, el arroz cocido y 5 tazas de agua o de *fumet* (caldo de pescado). Cocer a fuego lento medio tapado, durante 15 minutos.

3. Escurrir el rape, trocearlo y añadirlo a la sopa, junto con la picada de almendras. Rectificar de sal y de líquido según la consistencia deseada. Tapar y cocer a fuego lento durante 5 minutos. Servir inmediatamente.

Propiedades

• Plato nutritivo y completo, excelente para fortalecer el tono muscular y relajar los ánimos.
• Da energía y nutre. Aporta fuerza al tórax y a la digestión.
• Muy reconstituyente.

Arroz a presión
(receta base)

Efecto energizante

3 min — 2-3 personas — 45-60 min

Ingredientes

1 taza de **arroz integral entero biológico**
3 tazas de **agua mineral**
Una pizca de **sal marina**
Un trozo de **alga kombu**

1. Poner el arroz en remojo media hora antes de cocinarlo. Tirar el agua del remojo y lavar el arroz bajo el grifo de agua fría.

2. Poner en una olla exprés el arroz, el agua y la sal o el alga kombu (en este caso, poner el arroz encima del alga). Tapar la olla a presión y llevar a ebullición. A partir de que la válvula gire, cocer a fuego lento y con difusor de calor, durante 45 minutos o 1 hora, hasta que deje de salir agua por la válvula de la olla.

3. Apagar el fuego y dejar que la presión se reduzca naturalmente.

4. Destapar y mover todos los granos de arroz con un utensilio de madera mojada.

Propiedades

• **Versión de invierno**: **tostar** previamente el arroz en una sartén sin aceite, hasta que desprenda un aroma agradable, y pasar al punto 2 de la receta.
• Se puede poner el arroz **en remojo** de 1 a 3 horas antes, incluso toda la noche anterior: queda una consistencia más cremosa.
• También se puede cocinar **sin tostar ni remojar**, añadiéndole un poco más de agua y cocinándolo unos minutos más: queda el grano más entero.

CEREALES
de grano entero

Arroz con azukis

1. Tirar el agua de remojo, aclarar los azukis bajo el grifo. Ponerlos en la olla exprés con 1 taza y ½ de agua y el alga kombu. Tapar y cocer 20 minutos.

2. Lavar bien el arroz bajo el grifo y añadirlo a los azukis, junto con las 3 tazas de agua restantes.

3. Hervir a presión, sin tapar, durante 15 minutos y añadir la sal.

4. Tapar la olla exprés y cocer a fuego lento y con difusor, durante 50 minutos.

5. Dejar que la presión se reduzca por sí sola, destapar y remover el arroz con una cuchara o con una espátula de madera mojada.

VARIANTES
• Este plato también se puede hacer con **mijo** o **arroz dulce** (variedad de arroz).
• Se pueden sustituir los azukis por otras legumbres lo más pequeñas posibles: **lenteja**, **judía blanca** o **judía blanca pinta**, por ejemplo. Todas las legumbres, excepto la lenteja, deberían ponerse en remojo durante al menos 8 horas.

Propiedades

• Tonifica la energía del pulmón, y muy especialmente la de los riñones. Es depurativo y armonizante.
• Va muy bien para fortalecer la zona lumbar, si se sufren cálculos renales de repetición, falta de energía y exceso de líquidos (edemas).
• Refuerza y depura la vejiga y la próstata.

Depurativo/adelgazante

5 min 4 personas 1hora 30 min

Ingredientes
2 tazas de **arroz integral** entero biológico
½ taza de **azukis**
(en remojo toda la noche)
4 tazas y ½ de **agua mineral**
1 trozo de **alga kombu**
Una pizca de **sal marina**

Arroz integral hervido

(receta base)

Efecto energizante

3 min — 2-3 personas — 60 min

Ingredientes

1 taza de **arroz integral entero biológico**

3 tazas de **agua mineral**

Una pizca de **sal marina** o un trozo de **alga kombu**

1. Poner el arroz en remojo media hora antes de cocinarlo. Tirar el agua del remojo y lavar el arroz bajo el grifo de agua fría.

2. Añadir en una cacerola el arroz, el agua y la sal o el alga kombu. Tapar y llevar a ebullición. Poner el difusor de calor, bajar el fuego y hervir durante 60 minutos. Apagar el fuego y dejar reposar tapado durante 5 minutos.

3. Destapar y mover delicadamente todos los granos de arroz.

Propiedades

• El arroz integral nutre y fortalece los pulmones y la digestión, equilibra a la persona, armonizando la mente y las emociones. Es, en realidad, el alimento energético más equilibrado: equilibra la mente y el cuerpo, centra el espíritu, ayuda al control del continuo mental, se puede tomar todo el año y prácticamente en casi todas las condiciones. Rejuvenece y combina con casi todo. **Debe estar muy bien hecho**, no *al dente*.

Efecto energizante

5 min — 4 personas — 60-80 min

Ingredientes

1 taza y ½ de **arroz integral** entero biológico. ½ taza de **cebada o avena** entera biológica y remojada una noche, o ½ taza de mijo o la misma cantidad de **quinoa y amaranto, o sarraceno**

3 tazas y ½ de **agua mineral**

1 trozo de **alga kombu** o un pellizco de **sal marina**

con otros cereales

1. Proceder como en la receta *Arroz a presión*, pero alargar la cocción a 1 hora y ¹/₄, o lo que sea necesario hasta consumir el agua:

• Tiempo de cocción con quinoa, mijo o sarraceno: 60 minutos.

• Tiempo de cocción con avena o cebada: 80 minutos o más.

Propiedades

• Con quinoa, mijo y sarraceno, se vuelve un plato más energético; con cebada, más refrescante; y con avena, un reconstituyente.

Bolas de arroz

Efecto energizante

10 min   1 persona   5 min

Ingredientes
1 hoja de **alga nori**
1 taza de **arroz integral** cocido
1 **ciruela umeboshi o pasta
de umeboshi**

1. Tostar la hoja de alga nori por la cara rugosa, pasándola a medio palmo de la llama del fuego, hasta que cambie del color negro al verde. Partir la hoja en cuatro trozos iguales y reservar.

2. Humedecerse ligeramente las manos en agua mineral un poco salada y formar una bola de arroz bien compacta con las dos manos.

3. Con el pulgar, hacer un agujero hasta el centro de la bola, procurando que quede bien compacta, e introducir un trozo de ciruela umeboshi.

4. Envolver la bola con dos trozos de alga nori y, para sellarla bien, humedecer un poco los bordes interiores del trozo de con alga más externa.

VARIANTES
• Rebozar la bola de arroz con semillas de sésamo tostadas, en lugar de con alga nori.

Propiedades

• Tonifica la energía en el «centro de energía», da concentración y tonifica la digestión. Sirve como bocadillo para llevar en viajes y *picnics*. Ayuda a eliminar la dispersión mental y a contraer estómagos dilatados. Facilita la digestión.

Arroz salteado
con verduras y tofu, seitán o gambas

● Efecto reconstituyente

🍃 ❄️

🕑 10 min   👥👥👥👥 4 personas   🗑️ 15 min

Ingredientes

2 tazas de **arroz integral** cocido (ver recetas 1 y 2)
1 taza de **cebolla** picada
½ taza de **zanahoria** picada en cuadritos o tiritas finas
½ taza de **apio** picado
½ taza de la parte **verde** del **puerro** (picadito)
Seitán o **tofu** cortados a cubitos, o gambas peladas y limpias
1 ó 2 cucharadas de **aceite** de sésamo de primera presión en frío
1 ó 2 cucharadas de **tamari**
Unas gotas de jugo de **jengibre** fresco

1. Pincelar una sartén con aceite y saltear la cebolla unos minutos.

2. Añadir las demás verduras y el seitán, el tofu o las gambas.

3. Cuando estén doradas, añadir el arroz, el tamari, el jengibre y remover unos minutos más. Servir caliente.

VARIANTES
• Sustituir el arroz por 3-4 tazas de **pasta integral hervida:** de quinoa, espelta, kamut, mijo, soba (trigo sarraceno), trigo candeal (el normal) o pasta japonesa Udon.

Propiedades

• No tomar en caso de hipoglucemia.
• Para tomar sólo de vez en cuando, ya que es un plato algo indigesto, aunque muy reconstituyente.

Arroz con mejillones

● Efecto reconstituyente

10 min   4-5 personas   55 min

Ingredientes

600 g de **mejillones de vivero**
1 taza de **arroz integral**
¼ de taza de **verde de cebolla**
picado
¼ de taza de **sake natural**
1 cucharada de **aceite de oliva**
Una pizca de **sal marina**
Agua mineral

1. Para hervir el arroz, proceder como en la **receta *Arroz a presión*** o la **receta *Arroz hervido***.

2. Mientras, rascar y lavar los mejillones y pasarlos a una cacerola con un fondo de agua. Tapar y hervir a fuego rápido, durante 1 ó 2 minutos, o hasta que se hayan abierto todos. Verter el contenido de la cacerola en un plato y quitar las valvas a los mejillones.

3. Saltear ligeramente el verde de cebolla con un poco de aceite y rociar con el sake. Añadir el agua de cocción de los mejillones, filtrando la posible arena.

4. Cuando el arroz ya esté cocido, hacer bajar la presión pasando la olla, aún cerrada, bajo el grifo de agua fría, para poder abrirla rápido.

5. Llevar a ebullición los mejillones con el sake y verterlos sobre el arroz, mezclando con un tenedor. Volver a tapar y dejar reposar unos minutos antes de servir, para que los sabores se amalgamen.

NOTAS
• Según su gusto o las circunstancias, se puede utilizar hasta 1 kg de mejillones. En ese caso, el plato será más salado, salvo si se guarda el agua de cocción de los mejillones para otro uso.

Propiedades

• Excelente para reforzar los riñones, la zona lumbar y los pulmones. Es un plato muy nutritivo y reconstituyente.
• Actualmente, los viveros gallegos están cuestionados por la posible contaminación a causa de metales pesados, tras el desastre del Prestige, por lo que es importante verificar la procedencia.
• Tomar si se goza de buena digestión.

CEREALES
de grano entero

Paella vegetariana

● Efecto reconstituyente

⏱ 10 min | 👥👥👥👥 3-4 personas | 🗑 55 min

Ingredientes

1 paquete de **seitán** o **tofu** (en cubitos)
2 **zanahorias** cortadas en cuadritos
1 **cebolla** cortada en cuadritos
1 **ajo** o la cantidad equivalente de **jengibre** picado
1 taza de **arroz integral de grano largo**
½ taza de **apio** picado
Azafrán o ½ cucharadita de café de **cúrcuma**
2 tiras de **alga wakame** (en remojo y cortada)
2 cucharadas de **alga hiziki** cocida (ver receta de cocción base en la sección «Verduras»)

Guarniciones:
Unas rodajas de limón y perejil picado

1. Lavar el arroz, colocarlo en una cazuela junto con dos tazas de agua, azafrán o cúrcuma al gusto y una pizca de sal. Tapar y llevar a ebullición; después, reducir el fuego al mínimo y cocer durante 40 minutos con difusor.

2. Saltear el ajo o la cantidad equivalente de jengibre en una cazuela ancha, con un poco de aceite. Inmediatamente, añadir la cebolla y una pizca de sal. Saltear durante 10 minutos.

3. Incorporar el seitán y las verduras y saltear 5 minutos más.

4. Añadir media taza de agua caliente, la wakame cortada y el arroz hervido. Mezclar con cuidado, tapar y cocinar a fuego lento unos minutos para que el arroz se integre con las verduras.

5. Decorar con las hiziki cocinadas, unas rodajas de limón y perejil picado.

VARIANTES

- Utilizar otras verduras de temporada: coliflor, alcachofas, nabos, calabacín, etc.; y otras proteínas: tofu o tempeh (pasados por la sartén), gambas o calamares.
- **Versión rápida:** utilizar un resto de arroz cocido y añadirlo al salteado de verduras.

Propiedades

- Tomar sólo de vez en cuando, pues es un plato rico, nutritivo y reconstituyente, que requiere fuerza digestiva. Idóneo como plato único.

Mijo hervido
(receta base)

Efecto digestivo

10 min · 2 personas · 40 min

Ingredientes

1 taza de **mijo integral entero biológico**

2 tazas y ½ de **agua mineral**

Una pizca de **sal marina** o un trozo de **alga kombu**

1. Lavar el mijo bajo el grifo de agua fría y escurrir. Tostar unos minutos en una sartén sin aceite (opcional).

2. Poner todos los ingredientes en una cacerola. Llevar a ebullición, tapar y poner el difusor de calor. Hervir a fuego lento durante 25-30 minutos.

3. Apagar el fuego y dejar reposar 5 minutos, tapado. Destapar y, en caso de querer el mijo suelto, mover todos los granos y pasarlo a una fuente, para que no se apelmace. Otra opción sería hacerlo puré, añadiendo leche de avena al final de la cocción y triturándolo con el tenedor o el pasapurés.

Propiedades

• Excelente tónico digestivo, aumenta la energía en el estómago y en todo el cuerpo; aprieta las carnes y empuja a la acción. Se fuerza al sistema nervioso y ayuda a concentrarse. Tonifica y mueve la linfa. Combate el sobrepeso. Excelente (como plato principal) para desayunar, comer o cenar.

CEREALES
de grano entero

Pastel de mijo
y verduras

Efecto energizante

⏱ 10 min   2-3 personas   🗑 40 min

Ingredientes

3 **cebollas** y 2 **zanahorias**
(cortadas a cuadritos)
½ **coliflor** (a florecitas)
1 taza de **mijo** (lavado y escurrido)
3 tazas de **agua mineral**
Laurel, **sal marina** y **aceite**
Perejil o **cebollino** picados

Para el gratinado:
mochi de arroz integral,
rallado o polvo de almendras

1. En una cazuela de fondo grueso, saltear las cebollas con un poco de aceite de oliva y una pizca de sal durante 10 minutos.

2. Tostar ligeramente el mijo en una sartén sin aceite y reservar (opcional).

3. Añadir a las cebollas: las zanahorias, la coliflor, el laurel, el mijo tostado, 3 tazas de agua y una pizca de sal. Tapar, llevar a ebullición y reducir a fuego medio-suave. Cocer durante 25-30 minutos con difusor (si la coliflor provoca gases, escaldarla previamente en agua y sal).

4. Cuando el mijo haya absorbido el agua, sacar el laurel y mezclar bien. Colocarlo en una fuente para servir y aplanar bien para darle la forma del molde. Dejar enfriar y decorar con perejil picado.

5. Cortar el pastel en trozos y servir con una crema de calabaza espesa.

VARIANTES
- Espolvorear el pastel con mochi rallado y aliñado con aceite de oliva y shoyu o con polvo de almendra, gratinar (cuidado con la almendra, pues se quema rápido) y servir con la salsa aparte. Deliciosa con brécol, puerros y setas salteadas con shoyu.
- Altamente nutritiva con frutos secos tostados y troceados, o con semillas tostadas.

Propiedades

- Da fuerza digestiva, aumenta la concentración, potencia el estómago y el páncreas. Aumenta la inmunidad. Va muy bien para la diabetes.

Quinoa hervida
(receta base)

Efecto energizante

5 min | 2 personas | 25-35 min

Ingredientes

1 taza de **quinoa biológica**
2 tazas de **agua mineral**
Una pizca de **sal marina** o un trozo
de **alga kombu**

1. Lavar bien la quinoa bajo el grifo de agua fría y escurrir.

2. Poner el agua en una cacerola, tapar y llevar a ebullición. Añadir la quinoa y la sal o el alga kombu. Tapar, poner el difusor de calor, bajar el fuego y hervir a fuego lento durante 25-30 minutos.

3. Apagar el fuego y dejar reposar 5 minutos, tapado. Destapar y mover todos los granos de quinoa.

Propiedades

- Plato energizante, ayuda a la digestión, da vigor físico y ayuda a tener mayor rapidez de movimientos. También es nutritivo y reconstituyente.

Quinoa con verduras

● Efecto reconstituyente

7 min   2-3 personas   33 min

Ingredientes

1 taza de **quinoa**

1 paquete de **seitán triturado**

1 taza de **puerro o cebolla picada fina**

1 taza de **apio picado fino**

1 taza de **zanahoria** en dados pequeños

3 tazas de **agua mineral**

1 cucharada de a**ceite de oliva o de sésamo**

Nueces tostadas y trituradas, perejil o cebollino picado

Una pizca de **sal marina, salsa de soja y orégano** al gusto

1. Lavar bien la quinoa bajo el grifo de agua fría y escurrir.

2. Saltear el puerro en una cazuela con un poco de aceite y una pizca de sal marina durante 3 minutos. Añadir el resto de ingredientes y remover. Tapar, llevar a ebullición y hervir a fuego lento, con difusor, durante unos 30 minutos.

3. Dejar reposar 5 minutos, mezclar las nueces y servir con perejil o cebollino picado.

Propiedades

• Plato nutritivo y reconstituyente y, sin embargo, ligero y depurativo. Va muy bien para el deporte, para los niños, las mujeres embarazadas o las personas con necesidades nutricionales.

CEREALES
de grano entero

Potaje de cebada

1. Saltear en una cazuela grande las cebollas con el aceite y una pizca de sal marina durante 10 minutos. Añadir el tofu y saltear 5 minutos más.

2. Añadir la cebada con el agua de remojo, las zanahorias y una pizca de sal marina. Tapar y cocer a fuego lento durante 70 minutos.

3. Hervir los guisantes verdes durante 5 minutos. Lavar con agua fría, escurrir y añadirlos al potaje. Servir con perejil.

Propiedades

• Plato refrescante, energético, depurativo del hígado (para esto, mejor usar aceite de sésamo). Mejora la condición de la piel, refresca la sangre y relaja. Se requiere concinarlo bien y tener buena digestión.

● Depurativo/adelgazante

5 min   2-3 personas   80 min

Ingredientes

1 taza de **cebada** remojada toda la noche con 4 tazas de agua
2 **cebollas**
1 **zanahoria** cortada a daditos
⅓ de taza de **guisantes verdes**
1 paquete de **tofu**
2 cucharadas de **aceite de oliva o de sésamo**
Perejil fresco cortado

Ensalada veraniega
con quinoa

Efecto energizante

10 min · 2-3 personas · 25 min

Ingredientes

1 taza de **quinoa** biológica
8 rabanitos (cortados a cuartos)
2 zanahorias (ralladas, con una pizca
de sal y rociadas con
unas gotas de zumo de limón)
1 pepino (pelado y cortado a dados)
2 tazas de **agua mineral o zumo de
zanahoria**
2 cucharadas de **pasas**
Vinagre de **umeboshi,**
1 cucharadita de **ralladura de limón**
ecológico y **algunas semillas de calabaza o girasol** (tostadas)
Aliño:
4 cucharadas de **agua mineral y perejil**
picado
2 cucharadas de **aceite de sésamo** y
una de **aceite de lino**
1 cucharada de **salsa de soja**

1. Lavar bien la quinoa bajo el grifo de agua fría y escurrir.

2. Poner el agua en una cacerola, tapar y llevar a ebullición. Añadir la quinoa, la ralladura de limón y una pizca de sal. Tapar, poner el difusor de calor, bajar el fuego y hervir a fuego lento durante 20-25 minutos.

3. Dejar enfriar en una fuente antes de mezclar con las verduras.

4. Rociar los rábanos y el pepino con unas gotas de vinagre de umeboshi; mezclar bien y dejar macerar un mínimo de 30 minutos.

5. Preparar el aliño batiendo enérgicamente todos sus ingredientes.

6. Montar la ensalada mezclando todos los ingredientes y aliñar.

Propiedades

• Plato muy equilibrado, para energizar, refrescar y nutrir. Plato ligero, de fácil digestión; apropiado cuando se necesita algo liviano, refrescante y nutritivo (para deportistas o embarazadas); ideal en primavera, verano, o en el mes de septiembre.

CEREALES
de grano entero

Trigo sarraceno
(receta base)

Efecto energizante

3 min   2-3 personas   25 min

Ingredientes

1 taza de **trigo sarraceno** entero

2 tazas de **agua mineral**

½ pizca de **sal marina** o un trozo de **alga kombu**

1. Lavar ligeramente el trigo sarraceno, escurrir bien y tostarlo ligeramente unos minutos en una sartén sin aceite. También se puede hacer sin tostar. Reservar en un plato.

2. Poner el agua en una cacerola, tapar y llevar a ebullición. Añadir el trigo sarraceno y la sal o el alga kombu. Tapar, poner el difusor de calor, bajar el fuego y hervir a fuego lento durante 25-30 minutos.

3. Apagar el fuego y dejar reposar unos 5 minutos, tapado. Destapar y mover delicadamente los granos.

Propiedades

• Tonifica la energía, calienta el cuerpo y los riñones, aumenta la líbido, combate el cansancio de piernas, ayuda a adelgazar e invita al movimiento.

Trigo sarraceno
con alcachofas

Efecto energizante

7 min | 2-3 personas | 40 min

Ingredientes

1 taza de **trigo sarraceno**
1 taza de **cebollas** a medias lunas
1 taza de **alcachofas** cortaditas
1 taza de **zanahorias** cortadas en cerillas
2 tazas de **agua mineral**
1 hoja de **laurel**
1 cucharada de **aceite de sésamo o de oliva** (opcional)
Una pizca de **sal marina**

1. Lavar ligeramente el sarraceno, escurrir bien y tostarlo ligeramente unos minutos en una sartén sin aceite. También se puede hacer sin tostar. Reservar en un plato.

2. Saltear las cebollas en una cazuela con un poco de aceite y una pizca de sal marina durante 10 minutos. Añadir el resto de ingredientes y remover. Tapar, llevar a ebullición y hervir a fuego lento durante unos 30 minutos.

3. Remover con cuidado y servir espolvoreado con perejil picado.

Propiedades

• Las mismas propiedades que la receta anterior, pero de efecto más suave y relajante.

CEREALES
de grano entero

Crema de cereales
para el desayuno

1. Lavar bien el cereal bajo el agua del grifo, escurrir y poner todos los ingredientes en una cacerola.

2. Tapar y llevar a ebullición. Poner el difusor y hervir a fuego lento durante 90 minutos, o hasta obtener una consistencia cremosa.

VARIANTES

Versión dulce: cocer el cereal junto con unas pocas pasas de corinto o algún orejón biológico a trozos, canela y piel de limón ecológico. Si se desea más dulce, añadir leche de arroz o de almendras al final de la cocción. Si faltara dulce, añadir melaza de cereal o amasake.

Versión salada: cocer el cereal con verduras y sal o salsa de soja (ver receta 3 *Crema de mijo con verduras*). Si todavía se desea más salada, puede servirse con una cucharadita de gomashio (ver receta en «Condimentos»). Es bueno servir la crema de cereales con algún **ingrediente crujiente**: semillas de sésamo, calabaza o girasol tostadas, o frutos secos biológicos tostados, crudos o deshidratados (almendra, piñón, nuez o avellana).

Combinaciones de arroz con otros cereales:

- Arroz y avena (65%-35%): poner la avena en remojo
- Arroz y cebada (65%-35%): poner la cebada en remojo
- Arroz y quinoa o amaranto (80%-20% o 65%-35%)
- Arroz y trigo sarraceno o mijo (80%-15% o 65%-35%)

La **avena** y la **cebada** en grano tienen la cascarilla muy dura y es mejor ponerlas en remojo de 8 a 12 horas

SISTEMA DE COCCIÓN RÁPIDO

1 taza de **cereal cocido**

3 tazas de **agua mineral**

Condimentos variados (**canela, pasas, piel de limón**...)

Hervir a fuego lento durante **30 minutos**, o hasta obtener consistencia cremosa.

VARIANTES

El **mijo, la quinoa y el sarraceno** son los **cereales enteros** de cocción más rápida: también se podrían **añadir crudos a un resto de arroz ya cocido**, y hervir de nuevo 45 minutos o hasta que la mezcla se vuelva cremosa.

Ingredientes

1 taza de **cereal integral entero y biológico** (mijo, quinoa, sarraceno, arroz...)
5-8 tazas de **agua mineral**
1 pellizco de **sal marina** o un trozo de **alga kombu** (5 cm) o 1 ciruela **umeboshi** desmenuzada

Propiedades

- Las cremas de cereales son la mejor manera de empezar el día: aportan energía y preparan el cuerpo para la actividad del día, reponen los líquidos perdidos durante la noche y nutren la sustancia básica.

CEREALES
para el desayuno

Crema de mijo
con verduras

Efecto digestivo

10 min   2-3 personas   50 min

Ingredientes

1 taza de **mijo** biológico
1 taza de **cebolla** picada
1 taza de **coliflor** cortadita
5 tazas de **agua mineral**
Un poco de **leche de avena** (optativo)
1 trozo de alga kombu
Aceite de sésamo o de oliva
Sal marina
Algunas **semillas de sésamo, calabaza
o girasol** tostadas y **perejil picado**

1. Lavar bien el mijo bajo el grifo, escurrir y tostarlo unos minutos en una sartén sin aceite (opcional).

2. Saltear la cebolla en cacerola con aceite y una pizca de sal. Añadir la coliflor, el mijo, otra pizca de sal y el agua. Tapar, llevar a ebullición y cocinar a fuego lento durante 35 minutos, con difusor de calor.

3. Triturar bien con el tenedor y servir con semillas de sésamo tostadas trituradas, o con semillas de calabaza o de girasol tostadas, y con un toque de cebollino o perejil picado.

VARIANTES
• Podemos cambiar la cebolla por puerros y la coliflor por calabaza.
• Si lo queremos más salado, podemos espolvorear media cucharadita de **gomashio** (ver sección «Condimentos»).
• Se puede añadir la leche vegetal al principio, si se quiere una textura más cremosa.
• Podemos aplicar la misma receta con idénticas cantidades para la **quinoa**, el **trigo sarraceno** y los **copos de centeno, cebada** o **maíz**.

Propiedades

• Tonifica la digestión y el sistema linfático. Es depurativa y energizante. Va muy bien para los diabéticos y para adelgazar. Aumenta la concentración.

Crema de arroz

Efecto energizante

🔆 ☀ 🍃 ❄

⏱ 10 min 👥 2-3 personas 🗑 90 min

Ingredientes

1 taza de **arroz integral** entero biológico

5 tazas de **agua mineral**

1 trozo de **alga kombu** o 1 **ciruela umeboshi**

1 pellizco de **sal marina**

1. Proceder como en la **receta** *Arroz a presión*, pero hervir a fuego mínimo y con difusor de calor durante **90 minutos**.

VARIANTES

• Hervir con un sobre de té Mú (aclaración: hay bolsas de té Mú especiales para cocción).

Propiedades

• Energiza, equilibra, centra las emociones y aporta resistencia. Excelente depurativo.

• Muy fácil de digerir; si está bien hecho, puede incluso ayudar a recobrar las funciones digestivas hasta en situaciones de salud muy delicadas.

130

Crema dulce de mijo

1. Lavar el mijo bajo el grifo de agua fría y poner todos los ingredientes en una cacerola.

2. Llevar a ebullición y hervir, tapado y a fuego lento, durante 35-40 minutos.

3. Servir con semillas tostadas de girasol, calabaza o sésamo tostado triturado o frutos secos biológicos tostados, crudos o deshidratados (almendra, piñón, nuez o avellana).

Propiedades

- Tonifica el sistema digestivo y aporta energía y dinamismo. Elimina el cansancio, refuerza el estómago e invita a la actividad.
- Excelente para perder peso y líquidos, tonifica el sistema linfático y los riñones.
- Ayuda a fortalecer la digestión y el tono general.

Efecto energizante

10 min   2-3 personas   45 min

Ingredientes
1 taza de **mijo**
5 tazas de **agua mineral** (o 3 de **agua mineral** y 2 de **zumo de manzana)**
Pasas y **orejones biológicos, canela** y **piel de limón** (esta última, optativa)
Un poco de **leche vegetal sin azúcar** (de arroz o de avena, o de almendras, o de soja...)
Una pizca de sal marina o un trozo de alga kombu

Crema de quinoa

Efecto energizante

3 min   2-3 personas   45-50 min

Ingredientes
1 taza de **quinoa**
1 taza de **cebolla picada**
1 taza de **coliflor** cortadita (u otras verduras al gusto)
4 tazas de **agua mineral**
1 cucharada de **aceite de oliva** (opcional)
Una pizca de **sal marina**
o un trozo de alga kombu

Ingredientes
1 taza de **quinoa**
5 tazas de **agua mineral** (o 3 de **agua mineral** y 2 de **zumo de manzana biológico**, si nuestra digestión es buena)
Pasas y orejones biológicos, cortados finamente, **canela en rama** y **piel de limón** (esta última opcional)
Leche de avena o arroz al gusto
1 cucharada de **melaza de arroz** para endulzar (opcional)
Una pizca de **sal marina**

salada

1. Lavar bien la quinoa bajo el grifo de agua fría y escurrir.

2. Saltear la cebolla en una cacerola con aceite y una pizca de sal. Añadir la coliflor, la quinoa, una pizca de sal y el agua. Tapar, llevar a ebullición y cocinar a fuego lento durante 35 minutos, con difusor de calor.

3. Triturar bien con un tenedor (opcional) y servir con semillas de sésamo, calabaza o girasol tostadas, y con un toque de cebollino o perejil picado.

Propiedades

• Nutritiva y energética, digestiva, para personas con actividad mental o física, o con calor interno. Va bien para adelgazar. Es depurativa y la pueden tomar las personas diabéticas.

dulce

1. Lavar bien la quinoa bajo el grifo y poner todos los ingredientes en la cacerola.

2. Tapar, llevar a ebullición y hervir a fuego lento durante 35-45 minutos con difusor.

3. Servir con semillas tostadas de girasol, calabaza o sésamo y frutos secos biológicos tostados, crudos o deshidratados (almendra, piñón, nuez o avellana).

Propiedades

• Nutritiva y energética, digestiva, para personas con actividad mental o física, o con calor interno. Va bien para adelgazar.

CEREALES
para el desayuno

Crema de trigo
sarraceno

1. Lavar ligeramente el trigo sarraceno, escurrir bien y tostarlo unos minutos en una sartén sin aceite (opcional). También se puede hacer sin tostar.

2. Poner todos los ingredientes en una cacerola, tapar y llevar a ebullición. Poner el difusor de calor, bajar el fuego y hervir a fuego lento durante 25-30 minutos.

3. Apagar el fuego y dejar reposar 5 minutos, tapado.

Propiedades

- Tostado es aún más caliente. Este plato es excelente para días fríos o para personas con frío interno. Aporta energía, aumenta la temperatura corporal y la líbido e incrementa el dinamismo.

Efecto reconstituyente

10 min   2-3 personas   40 min

Ingredientes

1 taza de **trigo sarraceno**
5 tazas de **agua mineral** (o 3 de **agua mineral** y 2 de **zumo de manzana**)
Pasas y **orejones biológicos**, **canela** y **piel de limón** (esta última optativa)
Un poco de **leche vegetal sin azúcar** (de arroz o de avena, o de almendras, o de soja...)
Un trozo de **alga kombu** o sal marina

Copos finos de avena

● Efecto reconstituyente

12 min   2 personas   10 min

Ingredientes

1 taza de **copos finos de avena**
biológicos
4 tazas de **agua** mineral
Pasas biológicas, orejones biológicos
cortados finamente, **canela** en rama
y **piel de limón** (opcional)
Un trozo de **alga kombu** o una
ciruela umeboshi
Una pizca de **sal marina**

1. Hervir durante 10 minutos, tapado y a fuego suave. Remover de vez en cuando.

2. Servir con semillas tostadas de girasol, calabaza o sésamo y frutos secos biológicos tostados o deshidratados (almendra, piñón, nuez o avellana).

Propiedades

• Plato ligero y reconfortante, fácil de digerir, lubrica el cuerpo y lo nutre; calma las emociones y aporta resistencia.

Crema de avena
o cebada

1. Lavar bien el cereal bajo el grifo y dejar en remojo unas horas o, mejor, toda la noche.

2. Proceder como en la **receta base de** *Arroz a presión*, pero hervir a fuego mínimo y con difusor, durante **90 minutos**.

VARIANTES

Si no tenemos olla exprés, lo haremos **hervido**, pero aumentando la cantidad de **agua a 8 tazas** y alargando el tiempo de **cocción a 2 horas**.

También podemos remojar el cereal durante el día y cocerlo a última hora de la noche. De este modo, estará listo para el desayuno del día siguiente.

Proporciones para **combinar con arroz o mijo**: **arroz-cebada** (65/35%), **arroz-avena** (65/35%) y **avena-mijo** (65/35%)

Propiedades

• La **cebada** es refrescante y purificadora; ayuda a drenar toxinas, fortalece el hígado y calma las emociones. Da belleza y prestancia a la piel. La **avena** fortalece y nutre. Suaviza el carácter. Da resistencia y evita el desgaste. Va muy bien en constituciones delgadas o bien nerviosas.

● Efecto reconstituyente

3 min   2-3 personas   90 min

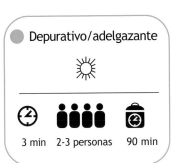

● Depurativo/adelgazante

3 min   2-3 personas   90 min

Ingredientes

1 taza de **avena** o **cebada integral entera biológica**
5-7 tazas de **agua mineral**
Un trozo de **alga kombu** o una **ciruela umeboshi**
Una pizca de **sal marina**

Copos de avena

Efecto energizante

7 min 2-3 personas 30 min

Ingredientes

½ taza de **mijo** integral biológico
½ taza de **copos de avena** finos
5 partes de **agua** mineral
Un trozo de **alga kombu** o una
ciruela umeboshi
Una pizca de **sal marina**

Efecto reconstituyente

7 min 2-3 personas 30 min

Ingredientes

½ taza de **quinoa**
½ taza de **copos de avena** finos
5 partes de **agua** mineral
Un trozo de **alga kombu** o una **ciruela umeboshi**
Una pizca de **sal marina**

con mijo

1. Lavar el mijo bajo el grifo de agua fría y ponerlo en la cacerola con el agua y la sal. Tapar, llevar a ebullición y hervir 20 minutos a fuego medio.

2. Añadir los copos de avena y hervir 10 minutos más a fuego suave.

3. Servir con algún ingrediente crujiente: semillas tostadas de sésamo, calabaza o girasol.

Propiedades

- Plato más energizante que el anterior y más fortalecedor de la digestión; es menos mucógeno. Aporta más actividad y aumenta la energía interna.

con quinoa

1. Lavar bien la quinoa bajo el grifo de agua fría y ponerla en la cacerola con el agua y la sal. Tapar, llevar a ebullición y hervir 20 minutos a fuego medio.

2. Añadir los copos de avena y hervir 10 minutos más, a fuego suave.

3. Servir con algún ingrediente crujiente: semillas tostadas de sésamo, calabaza o girasol.

Propiedades

- Plato nutritivo, reconstituyente, digestivo, calmante, para ganar sustancia básica y tener energía. Va muy bien para gente nerviosa con cansancio.

CEREALES
para el desayuno

Copos de centeno

Depurativo/adelgazante

5 min | 2-3 personas | 30 min

Ingredientes

1 taza de **copos de centeno**
4 tazas de **agua** mineral
Un trozo de **alga kombu** o
una **ciruela umeboshi**
Una pizca de **sal marina**

1. Hervir durante 30 minutos.

Propiedades

• Excelente para limpiar las arterias y combatir la arterioesclerosis. Asimismo, aparte del efecto sobre las arterias y la circulación en general, se usa en dietas para adelgazar.

Copos de cebada

Depurativo/adelgazante

5 min | 2-3 personas | 30 min

1 taza de **copos de cebada**
4 tazas de **agua** mineral
Un trozo de **alga kombu** o una **ciruela umeboshi**
Una pizca de **sal marina**

1. Hervir durante 30 minutos.

Propiedades

• De efecto refrescante, se usa en verano y en climas calurosos, o en gente con exceso de calor en el estómago o el hígado (náuseas, vértigo, migrañas, ansiedad o angustia).
• Ayuda a eliminar toxinas y limpia la piel y el hígado.
• Ayuda a calmar la cólera.

Macarrones gratinados
con seitán

1. En una cacerola con un poco de aceite, saltear suavemente las cebollas, con un pellizco de sal, durante unos 10 minutos.

2. Añadir el apio, el seitán, y ¼ de taza de agua y dejar cocer a fuego lento, tapado, durante 20 minutos, que hiervan 10 minutos.

3. Hervir los macarrones con abundante agua y sal, escurrir y espolvorear con albahaca y mezclar con las verduras.

4. Diluir el tahín en una taza de agua o leche de avena; añadir 2 cucharadas de salsa de soja y verter sobre los macarrones. Mezclar bien.

5. Pincelar una fuente para horno con aceite y verter la preparación. Espolvorear la superficie con el polvo de almendras y hornear durante 10-15 minutos, o hasta que la superficie quede ligeramente dorada. Servir con perejil picado.

Propiedades

- Nutre el cuerpo y, al mismo tiempo, ayuda a circular la energía bloqueada. Si la salud es delicada, o si apetece, puede sustituirse el aceite de oliva por el de sésamo, o el ajo por el jengibre. También es relajante.
- Muy bueno para gente activa, deportistas y delgados tensos.

Efecto reconstituyente

5 min   4 personas   50 min

Ingredientes

2 **cebollas** a cuadritos
200 g de **seitán** a dados
200 g de **macarrones integrales**
2 tallos de **apio** cortados finos
2 cucharadas de **tahín**
1 cucharadita de **albahaca seca**
1 taza de **leche** de avena o arroz
2 cucharadas de **polvo de almendras** o de pan rallado para gratinar
Aceite de sésamo
Shoyo
Sal Marina
Agua mineral

PASTAS y derivados de cereales

Fideos a la cazuela
con frutos del mar

Efecto reconstituyente

5 min   2-3 personas   40 min

Ingredientes

500 g de **calamares**, lavados y
cortados en rodajas
250 g de **fideos** integrales
12 **almejas**, lavadas en agua con sal
7 **almendras** tostadas
4 **alcachofas** tiernas, bien peladas y
cortadas finas
3 **cebollas** (picadas finas)
2 **zanahorias** (a dados)
1 penca de **apio** (cortada fina)
½ cucharadita de café de **cúrcuma** o
unas briznas de **azafrán**
1 l de **caldo de pescado**
o de **agua mineral**
2 cucharadas de **aceite de oliva** o de
sésamo prensado en frío
1 diente de **ajo** o **la cantidad
equivalente de jengibre y perejil**
Sal marina

1. Poner los calamares en una cacerola con un poco de aceite; encender el fuego y cocinar a fuego medio, con tapa, hasta que se evapore el agua que desprendan.

2. Añadir la cebolla y dejar que se poche, a fuego lento, durante unos 15 minutos o hasta que empiece a dorarse. Agregar las verduras y saltear un par de minutos, los fideos y una pizca de sal, removiendo, y agregar suficiente caldo de pescado o agua caliente para cubrir bien los fideos.

3. Cocer a fuego medio, tapado durante 10 minutos. Si hace falta, ir añadiendo caldo o agua caliente para mantener los fideos caldosos.

4. Preparar una picada con el ajo o con la cantidad equivalente de jengibre, el perejil, la cúrcuma, las almendras y una pizca de sal, todo diluido con un poco de agua. Verter sobre los fideos y remover. Colocar las almejas decorativamente y dejarlo cocer tan sólo 3 minutos más.

5. Apagar el fuego y dejar reposar unos 3 minutos antes de servir.

Propiedades

- Propiedades parecidas a los macarrones gratinados con seitán. Plato reconstituyente que nutre el cuerpo y, al mismo tiempo, ayuda a que circule la energía bloqueada. Si la salud es delicada, o si apetece, puede sustituirse el aceite de oliva por el de sésamo, o el ajo por el jengibre. También es relajante.
- Muy bueno para gente activa, deportistas y delgados tensos.

PASTAS y derivados
de cereales

Salteado
de pasta con verduras

Efecto reconstituyente

5 min · 3 personas · 20 min

Ingredientes

1 paquete de **espirales integrales**
2 **cebollas** y 2 **puerros** (cortados finos)
2 **zanahorias** (cortadas en cerillas)
¼ de **col** (en tiras muy finas)
1 paquete de **seitán** (en tiras finas)
2 cucharadas de **pipas de girasol** o **calabaza** tostadas
1 cucharada de **shoyu**
1 cucharada de **jugo de jengibre** fresco (rallado y escurrido)
Orégano y aceite de sésamo

1. Cocer la pasta con abundante agua hirviendo, orégano y una pizca de sal marina, durante el tiempo de cocción que se indique en el envoltorio. Escurrirla.

2. Calentar un wok o cazuela de acero inoxidable ancha, pincelar con aceite y saltear las cebollas y los puerros, durante 2-3 minutos, con una pizca de sal

3. Añadir las zanahorias y la col y saltear durante unos 6-7 minutos.

4. Añadir el seitán cortado y saltear durante 2-3 minutos más, vigilando que se preserve la textura crujiente de las verduras.

5. Finalmente, añadir la pasta hervida, unas gotas de salsa de soja y el jugo de jengibre fresco. Servir caliente con las semillas tostadas por encima.

Variantes
• Utilizar verduras de temporada (cebollas tiernas, brécol, judías verdes, hinojo fresco, champiñones o calabacín) y variedad de proteína (tofu ahumado, tempeh a la plancha, gambas o langostinos).

Propiedades

• Plato reconstituyente, ideal para convalecencia o para uso cotidiano. Para darle digestibilidad, los ingredientes deben estar suficientemente cocinados. Va bien para relajar, para deportistas y para delgados tensos.

Pastel de polenta

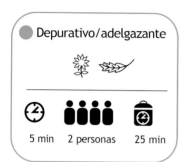

● Depurativo/adelgazante

5 min   2 personas   25 min

Ingredientes

1 **cebolla** en media luna
1 **tofu** en cubitos
1 taza de **polenta** (sémola de maíz)
½ taza de **setas** en láminas
4 tazas de **agua mineral**
2 cucharadas de **shoyu**
1 cucharada de **aceite de sésamo** de primera presión en frío
Sal marina
Agua mineral

1. Saltear la cebolla con aceite y sal, hasta que esté dorada. Añadir las setas, unas gotas de shoyu y saltear hasta que se haya evaporado su jugo. Incorporar el tofu, sazonar con shoyu, mezclar bien y reservar.

2. Poner el agua a hervir con dos pizcas de sal. Cuando hierva, añadir la polenta y remover constantemente durante 10 minutos. Verter las verduras salteadas y mezclar bien con la polenta.

3. Inmediatamente, pasarlo a un molde humedecido y dejar enfriar completamente antes de cortar.

4. Servir frío, o calentarlo al horno o en la sartén.

Nota

Si la digestión es floja, cambiar el tofu ahumado por tofu normal.

Propiedades

- Plato refrescante, depurativo y ligero, ideal para estaciones cálidas (verano y principios de otoño).
- Limpia la sangre, reconforta el corazón y regula la digestión.

Cuscús a la zanahoria

● Efecto reconstituyente

2 min   3 personas   20 min

Ingredientes

3 tazas de **zumo de zanahorias**
2 tazas de **cuscús integral**
sal marina
1 punta de **nuez moscada** en polvo

Decoración:
Briznas de **perejil**
Zanahoria rallada
Semillas de **sésamo** tostado

1. Poner todos los ingredientes en una cacerola, tapar y llevar a ebullición. Cocer a fuego suave durante 15 minutos, con difusor de calor.

2. Para servir, disponer el cuscús en cúpula (prensar en un bol o en una ensaladera pequeña y, luego, volcar sobre un plato) o formar bolas con un molde para helado. Decorar con pequeñas briznas de perejil.

VARIANTES

El zumo de zanahoria proporciona un hermoso color al cuscús. La suavidad y textura esponjosa de esta crema gusta a los niños. La receta también permite variar el clásico cuscús, seco y suelto, el cual es necesario servir con una salsa.

Propiedades

- Es un plato refrescante, ideal para el verano, y relajante. Tonifica el yin de hígado, o sea, que calma, conforta y ayuda a descontraer los músculos tensos. Fortalece la estructura física. Va muy bien para los niños y para la gente físicamente activa.

PASTAS y derivados
de cereales

Kimpira de verduras

Efecto digestivo

2 min   3 personas   20 min

Ingredientes

1 **cebolla**

1 **zanahoria**

1 **nabo**

1 taza de **agua mineral**

2 cucharadas de **aceite de sésamo de primera presión en frío**

1 cucharada de **tamari**

Shoyu

1. Cortar la cebolla en medias lunas, y el nabo y la zanahoria a tiras.

2. Poner el aceite en una cacerola y rehogar las verduras durante 5 minutos.

3. Añadir el agua, tapar y hervir a fuego lento durante 45 minutos.

4. Añadir el tamari durante los últimos 3 minutos de cocción.

5. Al final, el agua tiene que haberse evaporado. Si queda líquido, dejar en el fuego sin tapa hasta que la verdura quede seca.

VARIANTES

- Podemos añadir **tofu, seitán** o **tempeh cocido**, cortándolos a tiras y rehogándolos desde el principio, junto con las **verduras.**
- También podemos incluir en el plato media taza de **alga árame** o de **alga hiziki** (esta última, la remojaremos 15 minutos en una taza de agua), añadiéndola al principio de la cocción.

Propiedades

- Tonifica los riñones, la digestión y el estómago. Con alga hiziki, ayuda especialmente a quitar miedos y a aumentar la autoestima.
- En las épocas frías, se recomienda tomar entre 2 ó 4 veces por semana, preferiblemente en la cena, para calentar el cuerpo.
- Con tofu, seitán o tempeh, es un plato reconstituyente de fácil digestión y asimilación.

VERDURAS

Nituke de verduras

Efecto digestivo

Ingredientes

2 **puerros**, 2 **zanahorias** y
1 **calabacín** en trozos medianos
Aceite de **sésamo de primera presión en frío**
Tamari o **shoyu**
Jengibre rallado y exprimido
(opcional)

1. Calentar una cacerola de fondo grueso con tan sólo el aceite necesario, para que las verduras no se peguen.

2. Empezar salteando las verduras a fuego fuerte durante 5 minutos.

3. Tapar y cocer a fuego lento, removiendo de vez en cuando, durante 20 minutos.

4. Añadir un poco de salsa de soja hacia el final de la cocción.

VARIANTES

Combinaciones de 3 a 5 verduras: cebolla, puerro, apio, zanahoria, nabo, chirivía, calabaza, calabacín, hinojo...

- cebolla, apio y zanahoria
- cebolla, apio y nabo
- puerro, apio y chirivía
- puerro, apio y calabaza
- puerro, hinojo y zanahoria
- puerro, calabacín, zanahoria, nabo y chirivía

Propiedades

- El *nituke* es un salteado de verduras muy apropiado para otoño, invierno y principio de primavera, pues se cocina tapado y a fuego lento, durante 20-25 minutos.
- Las combinaciones con cebolla, zanahoria, puerro, chirivía y nabo son excelentes para fortalecer la digestión y los intestinos, así como para tonificar los riñones y fortalecer la vejiga, y el cuerpo en general.

VERDURAS

Nishime de verduras
(estofado sin aceite)

1. Remojar el alga kombu unos minutos y cortar a cuadraditos.

2. Limpiar y cortar las verduras en trozos grandes de al menos 2 cm.

3. Poner el alga kombu con su agua de remojo en una cacerola. Añadir media taza de agua y colocar las verduras encima, dispuestas en capas, empezando por la cebolla en la primera capa del fondo.

4. Cocer a fuego lento, con tapa, durante 25 minutos y añadir el tamari al final. Dejar algún minuto más y remover las verduras.

VARIANTES

Entre las capas de **verduras**, podemos poner **seitán** o **tofu** cortados en dados, tal como viene en el paquete, o pasado por la sartén con un poco de aceite.

● Depurativo/adelgazante

3 min   2 personas   30 min

Ingredientes

Una o varias verduras: **cebolla, calabaza, zanahoria, nabo, puerro, col, o coliflor, o col lombarda**
½ taza de **agua mineral**
1 cucharada de **shoyu o tamari**
Un trozo de **alga kombu de 5 cm** (en remojo durante 15-30 minutos)
Aceite de sésamo de primera presión en frío (optativo)

Propiedades

- Fortalece la digestión, el estómago, el páncreas y sistema linfático. Ideal para combatir la diabetes y la hipoglucemia.
- Ayuda en las enfermedades reumáticas.
- Indicada en estados de decaimiento energético.
- Va bien para limpiar y depurar el organismo.
- Con seitán o tofu es un plato más reconstituyente.

Estofado de verduras
con setas y tofu

Efecto reconstituyente

5 min | 2-3 personas | 35 min

Ingredientes

2 **zanahorias**, 1 **chirivía** y 2 **nabos** (a trozos grandes)

2 **cebollas** (a cuartos)

½ **calabaza** (a trozos grandes)

1 paquete de **tofu** (cortado a trozos medianos)

Setas de temporada

1 ramita de **romero** o **tomillo**

1 cucharada de **salsa** de **soja**

5 cm de **alga kombu** (en remojo 15-30 minutos y a tiras)

Perejil picado

Aceite de sésamo u oliva

Sal

1. En una cazuela de hierro colado o de fondo grueso, dorar las cebollas con un poco de aceite y sal durante unos minutos.

2. Añadir el alga kombu, el resto de verduras troceadas, el romero, media taza de agua (que cubra ⅓ de las verduras) y una pizca de sal marina.

3. Tapar, llevar a ebullición y cocinar a fuego lento durante 25 minutos.

4. En una sartén con un poco de aceite de oliva, dorar el tofu con unas gotas de salsa de soja, hasta que quede crujiente. Incorporarlo al estofado.

5. Servir caliente con un poco de perejil picado.

VARIANTES
- Queda bien con cualquier variedad de verduras de temporada: setas, puerro, hinojo, brécol, coliflor, col, colinabo, alcachofa...
- Sustituir el tofu por dados de seitán o tempeh frito.
- Sustituir el alga kombu por alga dulse o wakame.

Propiedades

- Plato proteico y reconstituyente, para deportistas o personas activas, o que quieren incrementar su masa muscular. Favorece al hígado en sus funciones.

Verdura verde
salteada

Efecto energizante

2 min · 2 personas · 3-7 min

Ingredientes

Cualquier verdura de hoja verde:
acelga, col, hoja de nabo, brécol, judía...
Aceite de **sésamo de primera presión en frío, tamari o shoyu**
Jengibre rallado y exprimido

1. Cortar la verdura en tiras finas o medianas.

2. Pincelar una sartén con aceite y saltear la verdura constantemente, es decir, moverla con un par de espátulas, o bien con un movimiento de sartén, hasta que esté cocida, pero *al dente*.

3. Condimentar con unas gotas de shoyu y unas gotas de jengibre y remover.

Nota
La verdura puede hervirse previamente y rehogarla luego brevemente, sin que el color pierda fuerza.

Propiedades

• Excelente para tonificar la flora intestinal. Favorece la producción de hemoglobina (absorción de hierro) y desintoxica el hígado. Ideal para acompañar platos con pescado. Con poco aceite o sin él, es muy depurativo y adelgazante.

VERDURAS

Verduras hervidas
en ensalada

1. Poner una cacerola al fuego llena hasta la mitad de **agua mineral**, con un pellizco de **sal marina**. Llevar a ebullición y retirar la tapa.

2. Ir agregando las **verduras**, según su dureza, y hervirlas por separado entre 2 y 7 minutos:
   - · **Brécol** y **coliflor**: 7 minutos.
   - · **Zanahoria**: 4 minutos.
   - · **Judía tierna**: 4 minutos.
   - · **Col**: 4 minutos.
   - · **Acelga**: 2 minutos.
   - · **Rabanitos**: 1 minuto, etc.

3. Lo importante es que la verdura no quede blanda, sino crujiente.

Propiedades

- Ideal para aportar riqueza en vitaminas y frescura y ligereza al cuerpo. Favorece el flujo de la energía en el hígado.
- Sustituye a las ensaladas y a la fruta cuando éstas no son recomendables.
- En verano, se puede servir fría y mezclada con lechuga, dando como resultado una ensalada refrescante, que sienta bien, relaja y nutre de vitaminas el cuerpo.

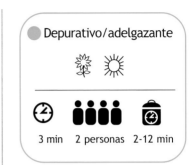

Depurativo/adelgazante

3 min   2 personas   2-12 min

Ingredientes

Seleccionar 2 ó 3 tipos de verduras: **cebolla**, **zanahoria**, **brécol**, **judía verde**, **col** o **coliflor**, **rabanito**, **puerro...**
Sal marina

Ensalada de escaldados
«tres sabores»

Efecto relajante

3 min 2 personas 2-10 min

Ingredientes

Cualquier verdura verde: **judías verdes, brécol, col china, acelgas**

Para la salsa:

1 cucharada de **tahín (crema de sésamo)**
1 cucharada de **vinagre de arroz**
½ cucharada de **mostaza sin azúcar**
½ cucharada de **pasta de umeboshi**
½ vaso de **agua mineral**

1. En agua hirviendo con una pizca de sal y a fuego fuerte, escaldar por separado las verduras cortadas, empezando por las que dan poco sabor al agua. El tiempo dependerá del tipo de verdura y de la medida del corte.

2. Mezclar los ingredientes para la salsa en un mortero o suribachi (mortero japonés) y aderezar las verduras todavía calientes con la salsa.

Propiedades

- Tonifica el yin. Aporta vitaminas, deleita el paladar y refresca el cuerpo.
- Induce al movimiento y a la acción fluida. Sin tahín ni mostaza, es un excelente plato depurativo.
- Excelente en primavera y verano; en gente con buena salud, tiene un efecto relajante y refrescante (si no se sobrepasa la cantidad de mostaza).

 VERDURAS

Wok de verduras

Efecto relajante

3 min   2 personas   10-12 min

Ingredientes

Variedad de verduras, por ej:
2 cebollas, ⅓ de col, 2 zanahorias,
un puñado de **brotes de soja y 1
acelga (hojas)**
1 cucharada de **aceite de sésamo de
primera presión en frío**
1 cucharada de **shoyu**
1 cucharada de **kuzu** disuelto en una
taza de **agua mineral** (opcional y
recomendable cuando se sufre de
debilidad intestinal)

1. Cortar las verduras finamente en medias lunas o tiritas.

2. Calentar el aceite en un wok o en una sartén.

3. Saltear primero la cebolla e ir añadiendo después las demás verduras, salteándolas todas juntas durante unos pocos minutos.

4. Bajar el fuego, añadir el **shoyu** y el agua con **kuzu** (polvo de raíz de Pueraria; es un almidón, y se vende en herbolarios) y remover hasta que se espese el líquido.

La técnica del wok

Se hace **sin tapa** y **moviendo constantemente** la sartén para dinamizar **las verduras** y evitar que se peguen. Si la sartén resulta demasiado pesada para moverla, utilizar un par de espátulas y con ellas ir removiendo las verduras constantemente.

VARIANTES

- En invierno, agregar unas gotas de jugo de **jengibre fresco**, si el médico no indica lo contrario.
- También se puede añadir, desde el principio de la cocción, unos daditos de **tofu fresco** (o **tofu ahumado**, si no se sufre ninguna enfermedad tumoral)
- Si no se puede tomar aceite, saltear la verdura en un dedo de agua mineral.
- Asimismo, podemos emplear una sola verdura como la col o la acelga, u otras como el puerro, la cebolleta...
- Se puede usar germinado de alfalfa o rabanito en vez de soja (ésta es más fría).

Propiedades

- Aporta vitaminas y ayuda a que circule la energía por todo el cuerpo y en el hígado. Da ligereza.
- Ayuda en estados de frustración emocional o exceso de tensión nerviosa.
- Indicado para cuando hay mucho deseo de crudos (ensalada, fruta...) y se deben evitar porque la digestión es pobre.

 VERDURAS

Verduras al vapor

Depurativo/adelgazante

3 min   3-4 personas   7-15 min

Ingredientes

½ **calabaza**, 2 **cebollas**, ¼ **col**, **coliflor**, **hinojo**, **nabo**, **puerro**, **zanahoria** (cortadas en trozos grandes). Elegir 1 ó 2 verduras redondas, 1 ó 2 de raíz y 1 ó 2 de tallo y hoja
Sal marina
Agua mineral

1. Disponer las verduras elegidas en una margarita o cestillo para cocer al vapor. Si no se dispone de cestillo, se puede emplear una cacerola de acero inoxidable con 2 o 3 dedos de agua y bien tapada.

2. Espolvorear unos granitos de sal marina sobre las verduras y cocer a fuego lento de 7 a 15 minutos, dependiendo del tipo de verdura y del tamaño de los trozos.

Propiedades

- Esta cocción aporta muchas vitaminas.
- Se trata de la cocción corta más indicada para el otoño y el invierno.
- Repone fluidos y tonifica la digestión, regula el páncreas y tranquiliza el espíritu.

 VERDURAS

Gelatina de verduras
(Aspic de agar-agar)

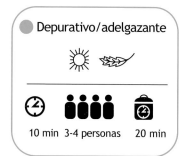

● Depurativo/adelgazante

10 min   3-4 personas   20 min

Ingredientes

2 **nabos** blancos
1 **zanahoria** grande
1 **calabaza** valenciana mediana
100 g de **judías verdes**
1,25 l de **agua, sal marina**
y **salsa de soja**
½ barra de **agar-agar** o
6 g de agar-agar en copos
5 cm de alga **kombu**

1. Limpiar la zanahoria y los nabos. Pelar la calabaza.

2. Cortar todas las verduras en cubos pequeños de aproximadamente 1 cm.

3. Hervir el agua con los 5 cm de kombu y una pizca de sal.

4. Añadir al agua y hervir, sucesivamente, la zanahoria, el nabo y las judías verdes durante 3 minutos, y la calabaza durante 5 minutos.

5. Sacar el alga kombu.

6. Remojar en agua fría el agar-agar y añadir al agua de cocción de las verduras. Hervir durante 10 minutos más, hasta que se disuelva el agar-agar.

7. Agregar una cucharada de salsa de soja. Mezclar bien las legumbres y verter el contenido en un molde. Dejar enfriar y que se gelatinice.

8. Servir con salsa al gusto. Por ejemplo, mezclar un poco del zumo de un limón, de tahín y miso en una taza de agua, y verter sobre la gelatina.

Propiedades

• Este es un plato refrescante para el verano, que aporta fluidos y vitaminas al cuerpo. Refresca el interior y lubrica los intestinos. Es excelente para combatir el estreñimiento seco y para refrescar el estómago y la boca, por ejemplo, cuando se tiene la boca seca y un exceso de sed. Es un excelente depurativo por su capacidad laxante, y al limpiar los intestinos mejora también el estado de la piel. Es una excelente manera de refrescarse sin tener que tomar fruta, obteniendo así un mayor nivel nutritivo, más minerales, energía y limpieza interior.

 VERDURAS

Mermelada
de cebolla

1. Poner el aceite en una cacerola alta y rehogar la cebolla durante 6-10 min

2. Añadir la sal y el agua. Cubrir con tapa y cocer a fuego muy lento durante 3 horas, usando el difusor de calor.

3. Guardar en la nevera dentro de un frasco de cristal.

4. Servir sobre pan al vapor o acompañando cereales.

Propiedades

- Es un alimento adecuado para el otoño y el invierno.
- Recomendable para personas muy debilitadas o que sufren de cansancio, problemas digestivos o pancreáticos (diabetes) o, en general, problemas relacionados con la falta de energía.
- También contribuye al buen funcionamiento muscular (ayuda a evitar tensiones y tirones musculares).
- Ideal como dulce o postre cuando se debe evitar la fruta y los horneados dulces, así como las melazas, mermeladas, etc., en regímenes más estrictos.

Efecto relajante

3 min   3-4 personas   3 horas

Ingredientes

1 ó 2 kg de **cebollas** peladas y picada muy pequeña
2 cucharadas de **aceite de sésamo de primera presión en frío**
1 taza de **agua mineral**
Una pizca de **sal marina**

Cebollas enteras
con miso

Efecto digestivo

2 min · 2-3 personas · 5 min

Ingredientes

6 **cebollas** de tamaño medio,
Una tira de **alga kombu** remojada y
cortada en cuadrados
1 ó 1 ½ cucharada de **miso de cebada** o **arroz** (no pasteurizado)
1 ó 2 cucharadas de postre de **kuzu** y
agua mineral
Perejil picado
Almendras tostadas

1. Hacer 6-8 cortes en forma de estrella en la parte alta de las cebollas

2. Poner el alga kombu en el fondo de una cacerola y, sobre ella, las cebollas.

3. Diluir el miso en un poquito de agua y verterlo en los cortes. Añadir agua que cubra las cebollas por la mitad. Tapar, llevar a hervor, bajar el fuego al mínimo y cocer durante 30-40 minutos.

4. El caldo restante puede espesarse con kuzu: disolver las dos cucharaditas en un poco de agua fría, agregarlo al caldo una vez sacadas las cebollas y remover a fuego lento 2 minutos, hasta que espese. Verter sobre las cebollas y servir con perejil picadito crudo, si se desea.

5. Decorar con semillas de sésamo o almendras tostadas y picadas sobre cada cebolla (opcional).

Propiedades

- Tonifica la digestión y aporta fluidos al intestino, siendo por ello bueno para el estreñimiento seco y con intestino vago.
- Bueno en los estados de decaimiento energético y problemas digestivos (flatulencias, digestiones lentas, etc.).
- Calienta el centro del cuerpo (tonifica el yang de bazo, que es la fuerza digestiva y asimiladora).
- Muy bueno para la diabetes.

 VERDURAS

Alga arame
con cebolla y zanahoria

● Depurativo/adelgazante

3 min 2-3 personas 25 min

Ingredientes

1 taza de **alga arame**
½ taza de **cebolla** picada
½ taza de **zanahoria** cortada en dados
1 cucharada de **aceite de sésamo de primera presión en frío**
½ cucharada de **tamari**

1. Pincelar una sartén con el **aceite** y rehogar las **verduras**, con una pizca de sal. Añadir sobre ellas el **alga arame** y una taza de **agua**. Tapar y cocer a fuego bajo durante 20 minutos.

2. Destapar, agregar el **shoyu** y dejar cocer unos minutos hasta la completa evaporación del agua. Mezclar bien y servir un par de cucharadas en el plato.

VARIANTES
• Podemos hacer el mismo plato con **alga hiziki**, que habremos remojado previamente durante 10 minutos con agua que sólo la cubra. En ese caso, alargaremos la cocción a 45 minutos.

Propiedades

• La hiziki tiene un potente efecto remineralizante y calcificante (14 veces más calcio que la leche). Excelente para combatir el cansancio, los miedos y tonificar los riñones, así como para fortalecer los huesos.
• Hecho con arame, las propiedades son similares pero con un efecto más limpiador sobre riñones, vías urinarias, próstata, útero y vagina, ayudando en cistitis y distintos problemas genitourinarios.

Alga hiziki
(cocción base)

1. Lavar el alga, cubrirla por completo de agua fría y remojarla durante 20 minutos. Tirar el agua y volver a cubrir el alga con más agua.

2. Hervir durante 1 ó 2 minutos y volver a tirar el agua.

3. Colocarla en una cazuela y cubrir una cuarta parte de su volumen con agua. Añadir vinagre de arroz, concentrado de manzana líquido y un poco de aceite. Tapar y cocer a fuego medio durante 30 minutos o hasta que todo el líquido se haya evaporado. Sazonar con salsa de soja, remover y cocer 2 minutos más.

4. Conservar en un bote hermético en la nevera.

Propiedades

- Ayuda a remineralizar y calcificar los huesos. Tonifica los riñones y la zona lumbar.
- Si hay sudores nocturnos o sensación de calor, cocinarlo con zumo de manzana. Si predomina un cansancio crónico y sensación de frío, cocinarlo con **mirin**.

Efecto reconstituyente

2 min — 4 personas — 35 min

Ingredientes

1 taza de **alga hiziki**
½ cucharada de **vinagre de arroz (o de manzana)**
1 cucharada de concentrado de **manzana líquido o mirin (vino de arroz,** optativo)
1 cucharada de aceite de **sésamo**
1 cucharada de salsa de **soja**

Salteado de verdura
verde con arame

Efecto relajante

3 min   2 personas   25 min

Ingredientes

2 **cebollas**, cortadas a media luna

250 g de **judías tiernas** cortadas en diagonales finas

½ taza de **alga arame**

1 cucharada de **concentrado de manzana**

1 cucharada de **salsa de soja, shoyu**

1 cucharada de aceite de **sésamo**

½ cucharada de **vinagre de arroz o manzana**

1 cucharadita de jugo de **jengibre** rallado y escurrido

Un puñado de **nueces** tostadas

Sal marina

1. Lavar el alga arame y remojarla durante 10 minutos en agua mineral que sólo cubra su volumen.

2. Saltear las cebollas en un poco de aceite y una pizca de sal durante 10 minutos.

3. Escurrir el alga, añadirla al salteado junto con el vinagre y el jugo concentrado de manzana. Mezclar, tapar y cocinar, hasta que se haya evaporado todo el líquido.

4. Aliñar con salsa de soja y jugo de jengibre. Mezclar bien.

5. Hervir las judías en agua con un poco de sal, sin tapa, 3-4 minutos. Escurrir y mezclar con el salteado de arame.

6. Servir decorado con nueces tostadas.

VARIANTES

• Cualquier verdura verde de temporada: brécol a florecitas, las hojas verdes de la col de invierno cortadas finas, tirabeques...

• Con puerros y zanahorias.

• Combinada con platos de cereal o pasta y proteínas vegetales.

• En verano, puede cambiarse la nuez por almendras deshidratadas o tostadas.

Propiedades

• Plato equilibrado. Tonifica el hígado y los riñones y propicia una digestión suave. Excelente para gente activa y para primavera y verano. Relaja y nutre.

VERDURAS

Garbanzos
(cocción base)

● Efecto reconstituyente

☀ 🍃 ❄

⏲ 👤👤👤👤 🗑
1 min   2 personas   1h y 40 min

Ingredientes

1 taza de **garbanzos biológicos** (en
remojo toda la noche con
5 tazas de agua)
4 tazas de **agua mineral caliente**
1 tira de **alga kombu** (5 cm)
Una pizca de **sal marina**

1. Escurrir y aclarar los garbanzos bajo el grifo. Tirar el agua de remojo.

2. Ponerlos en la olla a presión junto con el **agua caliente** y llevar a ebullición. Hervir sin tapa, durante 5 minutos, para ir retirando la espuma y las pieles que pudieran estar flotando.

3. Añadir la kombu, el laurel y cerrar la olla. Cocer a fuego lento, durante mínimo 1 hora y 30 minutos o hasta que los garbanzos estén bien blandos.

4. Abrir la olla, añadir la sal y cocer sin tapa durante 5 minutos más a **fuego lento**.

TRUCOS PARA SU BUENA COCCIÓN:
• Remojar con agua de buena calidad, mínimo 6-8 horas, y tirar el agua de remojo.
• Cocer con alga kombu o wakame.
• El tiempo de cocción depende de varios factores (calidad del garbanzo, dureza del agua...), por lo que se hace difícil precisar el tiempo de cocción:

- A presión: mínimo 1 hora y 30 minutos.
- Hervidos: mínimo 2 horas y 30 minutos.

• No añadir ningún condimento salado hasta que los garbanzos estén blandos (al principio de la cocción, endurecería los garbanzos).

- Si se añade sal cuando ya están bien cocidos, hay que dejarlos hervir 5-10 minutos más, a fuego lento, para que se integre la sal.
- Si se añade miso o salsa de soja, hay que dejarlo cocer a fuego lento durante sólo 2-3 minutos sin hervir, para no perder sus fermentos vivos.

Propiedades

• Alimento nutritivo y de gran valor proteico, especialmente si se combina con cereales integrales. Muy rico en hierro. Fortalece el estómago, el páncreas y el corazón. Para aumentar peso, tomarlo con aceite, semillas, tahín, etc. Debe estar bien blando, bien cocinado.

PROTEÍNAS
Legumbres

Hummus
Paté de garbanzos

1. Calentar ligeramente los garbanzos con el líquido de cocción. Escurrir y reservar un poco de líquido de cocción.

2. Añadir el resto de ingredientes y hacerlo puré, hasta conseguir la consistencia de paté, si hace falta, añadiendo un poco del líquido reservado.

3. Servir acompañado de tortas de arroz, o con rebanadas de pan integral biológico de levadura madre, o con chips de maíz biológico, combinando de esta forma legumbre con algún cereal.

NOTAS
• Quedará un puré más bien espeso, que se puede untar, aunque también se puede hacer más líquido, en forma de salsa, añadiéndole agua mineral o líquido de la cocción, al tiempo que se baten todos los ingredientes.

Propiedades

• Excelente para coger peso, reforzar el estómago y el páncreas, como fuente de proteína y revitalizante general del organismo y riñones. Si se quiere perder peso, evitar el tahín.
• Ideal en verano y en climas cálidos.

● Efecto reconstituyente

3 min   2 personas   5 min

Ingredientes
1 taza de **garbanzos biológicos**, cocidos con un trozo de **alga kombu**
2 cucharadas de **tahín blanco**
Sal marina
Zumo de un **limón**
Perejil

Paté de lentejas coral

● Efecto reconstituyente

3 min   2 personas   40 min

Ingredientes

125 g de **lentejas coral**
(rojas peladas)
3 tazas de **agua mineral**
5 cm de **alga kombu**

Condimentos:
½ cucharadita de ralladura de **limón**
ecológico
1 cucharadita de zumo de **limón**
1 cucharadita de **mostaza natural**
gruesa (con grano entero)
2 cucharaditas de **tahín claro** (crema
de sésamo sin tostar)
3 cucharaditas de **miso de cebada no**
pasteurizado
Sal marina
Agua mineral

1. Colocar las lentejas en un colador y lavarlas ligeramente bajo el grifo de agua fría. Pasarlas a una olla de acero inoxidable de doble fondo, verter el agua fría, llevar a ebullición y espumar. Después, añadir el alga kombu.

2. Tapar, poner difusor y hervir a fuego lento, durante 30 minutos.

3. Añadir una pizca de sal, remover y cocinar 10 minutos más. Si ha quedado demasiado líquido de la cocción, retirar y reservar.

4. Sin dejar que las lentejas se enfríen, añadir todos los condimentos y remover bien con una espátula. Si falta más líquido, usar el reservado de la cocción o añadir un poco de agua.

5. Servir acompañado de algo crujiente: pan tostado, crackers, nachos o tiras de verduras hervidas crujientes (ver receta 6, sección «Verduras»).

Propiedades

• Si hay problemas digestivos o flatulencias, cambiar el tahín por aceite de sésamo y la mostaza por comino o cardamomo o jengibre. Es un plato que fortalece la sangre, combatiendo la anemia y tonificando la sustancia básica de los órganos y las paredes de los vasos sanguíneos, el corazón y el intestino delgado. En general, es un excelente plato que refuerza, y es también ideal para ganar peso.

PROTEÍNAS
Legumbres

Azukis
con calabaza

Depurativo/adelgazante

3 min   2-3 personas   70 min

Ingredientes

2 tazas de **calabaza**
cortada en dados
1 taza de **azukis**
remojados toda la noche
1 trozo de **alga kombu**
1 cucharada de **shoyu**
Una pizca de **sal marina**
Aceite de sésamo o de **oliva**
Agua mineral

1. Escurrir y aclarar bien los azukis bajo el grifo de agua fría. Tirar el agua de remojo.

2. Poner los azukis y el alga kombu en una cacerola, cubiertos de agua, y colocar la calabaza encima.

3. Cocer a fuego lento hasta que los azukis estén tiernos (mínimo 1 hora a presión, 1 hora y media hervido).

4. Agregar **shoyu** y dejar cocer unos minutos más (si echamos sal, dejar cocer como mínimo unos 10 minutos más).

5. Aplastar con el tenedor, si se le quiere dar consistencia de paté, y servir una cantidad de 2 ó 3 cucharadas por plato.

Propiedades

- Resulta excelente para regular el exceso (diabetes) o la falta de azúcar en la sangre (hipoglucemia), así como para proteger los riñones. Va muy bien en toda enfermedad renal.
- Tiene efecto laxante. Cambiando la calabaza por zanahoria y cebolla o nabos y puerros, se convierte en un plato todavía más depurativo.

Estofado
de lentejas

Efecto reconstituyente

3 min   2 personas   30 min

Ingredientes

2 **cebollas** a cuadritos y 1 puerro
(cortado fino)
2 **zanahorias** (ralladas)
1 **penca de apio** (cortado fino)
100 g de **lentejas Dupuy o pardinas**
5 cm de **alga wakame**, (remojar 5
minutos, escurrir y cortar)
2 dientes de **ajo** o **la cantidad equivalente de jengibre, laurel, perejil**
Sal marina
Aceite de sésamo
Agua mineral

1. Lavar las lentejas y ponerlas a hervir en agua que sólo cubra su volumen. Cuando llegue a ebullición, verter en agua y añadir agua de nuevo que tan sólo cubra. Añadir la wakame y el laurel y cocer a fuego lento y tapado, mientras preparamos el resto de verduras.

2. En una cacerola pincelada con aceite, saltear las cebollas y el puerro con una pizca de sal durante 10 minutos. Añadir la zanahoria rallada, los ajos enteros y el apio, otra pizca de sal, remover y cocer tapado durante 5 minutos o hasta que empiece a dorarse ligeramente.

3. Agregar las lentejas con el jugo de cocción y una pizca de sal. Remover, tapar y cocer a fuego lento durante 15 minutos.

4. Si hiciera falta, rectificar el sabor con unas gotas de salsa de soja; remover y servir con perejil picado

Propiedades

• Acompañado de arroz integral, se convierte en un plato de proteína completa. Muy bueno en caso de anemia y debilidad. Remineraliza y nutre. Bueno para la circulación y uso regular.

PROTEÍNAS
Legumbres

Tofu con gambas

● Efecto energizante

⏱ 5 min | 👪 4 personas | 🗑 10 min

Ingredientes

400 g aprox. de **tofu** natural
Unas 12 **gambas** peladas y limpias
1 diente de **ajo** o la cantidad
equivalente de **jengibre**
Shoyu
Perejil picado
A**ceite de oliva o de sésamo**
1 cucharada de **kuzu**, diluido en
½ vaso de **agua mineral fría**

1. Sazonar el tofu con unas gotas de shoyu antes de empezar a cocinarlo.

2. Saltear ligeramente los ajos o la cantidad equivalente de jengibre en poco aceite, añadir las gambas y el tofu.

3. Disolver el kuzu en el agua mineral y verterlo sobre el tofu con gambas. Hervir 5 minutos a fuego lento, hasta obtener una salsa suave.

4. Espolvorear bastante perejil por encima, dejar reposar y servir caliente.

Propiedades

• Tonifica y fluidifica estómago, intestino y pulmones, así como refuerza la zona sacro-lumbar y riñones, gracias a las gambas. Se puede tomar también al principio de primavera (febrero, marzo y abril).

PROTEÍNAS
Tofu

Tofu
macerado a la plancha

● Efecto reconstituyente

⌚ 3 min 3 personas 10-35 min

Ingredientes

400 g de **tofu**, cortado en filetes
2 cucharadas y ½ de **shoyu**
1 cucharada de **miso de cebada sin pasteurizar**
1 diente de **ajo** o **la cantidad equivalente de jengibre (opcional)**
1 cucharada pequeña de **mostaza**
Aceite de sésamo de primera presión en frío

Para decorar:
Semillas de girasol tostadas
Perejil o cebollinos picados

1. Mezclar todos los ingredientes para el macerado y verter sobre el tofu. Dejar macerar 30 minutos como mínimo.

2. Poner aceite en una sartén y dorar el tofu por ambos lados.

3. Se puede hacer más simple y rápido sin macerar: dorar ajo, añadir perejil y dorar el tofu por ambos lados.

Propiedades

• Tonifica estómago, intestinos y pulmón. Plato proteico y fácil de digerir. Plato limpio que no engorda, aunque es muy nutritivo.

PROTEÍNAS
Tofu

Revoltillo
de tofu y wakame

1. Saltear los puerros en una sartén pincelada de aceite y con una pizca de sal. Añadir el tofu y el alga, mezclar bien y cocer tapado durante 10 minutos, removiendo de vez en cuando para evitar que se pegue.

2. Antes de retirar del fuego, agregar unas gotitas de jugo de jengibre y condimentar con unas gotas de shoyu.

Propiedades

• Si el jengibre se usa con moderación, es un nutritivo plato que reconstituye la sustancia básica y los fluidos corporales en estómago, intestino y pulmón (boca seca, heces secas o piel seca, por ejemplo), sin engordar. Va muy bien, sin jengibre, para el exceso de calor interno, hipertensión arterial y sofocos posmenopáusicos.

Depurativo/adelgazante

5 min   2 personas   15 min

Ingredientes

1 bloque de **tofu** desmenuzado
3 **puerros** cortados finos
2 tiras de **Alga wakame** remojada 5 minutos, escurrida y cortada
Aceite de sésamo o de **oliva de primera presión en frío**
Jengibre fresco, rallado y exprimido y **shoyu**

Tofu teriyaki

● Efecto reconstituyente

3 min   2 personas   10-35 min

Ingredientes

1 bloque de 400 g aprox. de **tofu**

Macerado:
⅓ de taza de **shoyu**
3 cucharadas de **vinagre de arroz**
3 cucharadas de **melaza de arroz**
1 cucharada de **zumo de jengibre**
1 cucharada de **aceite de girasol**
o de sésamo
⅓ de cucharada de **mostaza**

Decoración:
Semillas de sésamo tostadas y perejil

1. Cortar el tofu en filetes y colocarlo en una fuente plana.

2. Mezclar todos los ingredientes para el macerado y verterlo sobre el tofu.

3. Dejar macerar 30 minutos como mínimo.

4. Poner aceite en una sartén y dorar el tofu por ambos lados.

NOTAS
• Tomar si se goza de buena salud. Para potenciar el poder proteico, sacar la melaza y la mostaza. En condiciones de mucha hambre o sed (calor de estómago) y sequedad, evitar el jengibre. Si la digestión es flojita, el jengibre ayuda, así como el vinagre.
• Si hay alergias o cefaleas, sacar la mostaza.
• Forma rápida: añadirle al tofu (cuando se esté haciendo) la mezcla para el macerado.

Propiedades

• Si no queda seco, este plato reconstituye la sustancia básica y los fluidos corporales en estómago, intestino y pulmón (boca seca, heces secas o piel seca, por ejemplo). Regula el peso corporal.

PROTEÍNAS
Tofu

Queso de tofu

Efecto reconstituyente

☀ 🌿

⏱ ▮▮▮▮ 🗑
24 h   2 personas

Ingredientes

1 bloque de **tofu** fresco
Miso de cebada no pasteurizado
(mugi miso, en japonés)

1. Envolver el tofu en un trapo de algodón y secarlo con cuidado.

2. Cortar por la mitad, a lo largo, y cubrir completamente todas las caras del bloque de tofu con una ligera capa de miso.

3. Guardarlo en la nevera durante 24 horas. Cuidado: cuanto más tiempo se deje, más salado será el miso.

4. Pasado este tiempo, retirar el miso (se puede guardar y utilizar para preparar salsas y aderezos). Lavar el tofu con agua fría, para quitar todo el miso.

5. Servir el tofu cortado en rodajas de 0,5 cm de grosor, o en tacos, y acompañar de pepino pelado.

NOTAS

• Tomar sólo en caso de buena salud, y siempre y cuando no esté restringida la sal en la dieta. Evitar en casos de hipoglucemia.

Propiedades

• El miso le da a la receta un buen poder digestivo.
• Plato nutritivo y sabroso.

Quiche de tofu
con puerros y alga hiziki

1. En una sartén pincelada con aceite, saltear los puerros con una pizca de sal, la albahaca y el orégano, durante 5-10 minutos o hasta que empiecen a dorarse.

2. Verter en un molde pincelado con aceite y esparcir por encima las hiziki cocinadas.

3. Precalentar el horno. Trocear el tofu y batirlo con el resto de condimentos y un poco de agua caliente, hasta conseguir consistencia de paté.

4. Verter la crema de tofu por encima de las verduras con hiziki y mezclar bien, procurando que todas las verduras queden bien cubiertas, para que no se quemen.

5. Hornear a 150° durante 30 minutos o hasta que esté dorado. Retirar del horno, dejar enfriar durante unos minutos antes de cortar y servir con alguna hierba fresca picada (albahaca o perejil) por encima.

VARIANTES
- Queda muy bien con coliflor o brécol; a finales del verano, excelente con calabacín.
- Sustituir el alga hiziki por alga wakame (remojar 5 minutos, escurrir y trocear).
- Con nueces trituradas y mugi miso, en vez de salsa de soja.
- Se puede utilizar tofu fresco en cualquiera de sus variedades: natural, finas hierbas, con hortalizas, con algas, etc.

Notas
- En casos de sequedad corporal, evitar la pimienta. En casos de debilidad digestiva, el concentrado de manzana. En verano, para refrescar, sacar la pimienta.

Propiedades

- Si no queda seco, es un plato que reconstituye la sustancia básica y los fluidos corporales en el estómago, el intestino y el pulmón (boca seca, heces secas o piel seca, por ejemplo).

Efecto reconstituyente

5 min   2-3 personas   45 min

Ingredientes
1 paquete de **tofu** fresco
1 manojo de **puerros** (cortados finos)
2 cucharada de **alga hiziki** cocinada y troceada (ver receta *Cocción base*, en sección «Verduras»)
Condimentos:
2 cucharadas de **salsa de soja**
2 cucharadas de aceite de **sésamo**
2 cucharadas de **concentrado de manzana líquido**
2 cucharadas de **vinagre de arroz**
1 cucharada de **orégano** y
1 cucharada de **albahaca seca**
Pimienta negra fresca (opcional)

Paté de tofu
y nueces

Efecto reconstituyente

7 min   2-3 personas   10 min

Ingredientes

1 paquete de **tofu** fresco
2 cucharadas de **concentrado de manzana** (opcional)
1 cucharada de aceite de **sésamo**
1 cucharada rasa de **pasta de umeboshi**
½ taza de **nueces** tostadas y troceadas

1. Hervir el paquete de tofu durante 5 minutos con agua que sólo cubra.

2. Escurrir la mitad del agua y reservarla. Inmediatamente, hacerlo puré junto con el resto de ingredientes, excepto las nueces. Ir añadiendo agua hasta conseguir la consistencia deseada.

3. Añadir las nueces y servir.

Propiedades

• Si se quiere aprovechar al máximo el poder nutritivo (proteico) de este plato, no pondremos el concentrado de manzana, convirtiéndose así en un plato menos dulce, pero altamente nutritivo y que favorece la sustancia básica de pulmón, riñón, estómago e intestino grueso.

PROTEÍNAS
Tofu

Tempeh
con almendras o nueces

● Efecto reconstituyente

⏱ 5 min · 👥 3 personas · 🗑 55 min

Ingredientes

2 **cebollas** cortadas en media luna

250 g de **tempeh** fresco, cortado en trozos medianos

150 g de **almendra natural picada o nueces troceadas**

100 g de **setas** en láminas

2 cucharadas de **shoyu**

1 cucharadita de ralladura de **limón ecológico**

Un trozo de **alga kombu,** en remojo durante 20 minutos

Perejil fresco picado

1. En una cazuela pincelada con un poco de aceite, saltear la cebolla con una pizca de sal durante 10 minutos.

2. Añadir las setas, el alga kombu junto con el agua de remojo, el tempeh y una cucharada de shoyu. Agregar agua que cubra el tempeh por la mitad, llevar a ebullición y cocer a fuego bajo durante 45 minutos.

3. Añadir la ralladura de limón y las almendras y cocer 5 minutos más. Rectificar el sabor con más tamari, remover y servir con perejil picado.

Propiedades

- Plato altamente nutritivo y proteico, tonifica y refuerza el hígado y los intestinos. Con almendras, tiene efecto lubrificante en el pulmón. Con nueces, el plato es más caliente, lubrificante y tonificante de la energía sexual y zona lumbar.
- Evitar si la digestión es muy débil.

Tempeh a la plancha

Efecto reconstituyente

🕑 3 min   👥 3 personas   🗑 40 min

Ingredientes

1 paquete de **tempeh** (cortado en rodajas o en 4 trozos)
5 cm de **kombu** (cortada a tiras)
Orégano, **aceite de sésamo, salsa de soja (shoyu)**
Mostaza natural (opcional)

1. Poner a hervir el tempeh con la kombu y agua hasta que cubra, un poco de orégano espolvoreado, unas gotas de salsa de soja y un chorrito de aceite.

2. Llevar a ebullición y cocer tapado, a fuego lento, durante 30 minutos o hasta que se haya evaporado todo el agua (a media cocción, dar la vuelta a las rodajas). Cortarlo finito.

3. Pincelar una sartén con aceite y dorar el tempeh durante unos minutos por cada lado. Si quedara demasiado aceitoso, secar sobre papel absorbente.

4. Servir caliente con un poco de mostaza natural.

Propiedades

• Plato altamente nutritivo y proteico, tonifica y refuerza el hígado y los intestinos. Ayuda a recuperarse en convalecencias de bajadas inmunológicas e infecciones (por ejemplo, para los niños). Aporta sustancia básica al hígado, intestinos y musculatura. Bueno para la energía general y renal en particular (función sexual). Bueno también para las funciones mentales. Evitar si la digestión es muy débil.

PROTEÍNAS
Tempeh

Seitán a la plancha
con ajo y perejil

1. Dorar el ajo en una sartén con muy poco aceite, para que no se sofría.

2. Añadir el seitán. Tapar y cocinar a fuego entre bajo y medio, dándole la vuelta cuando esté dorado.

3. Espolvorear con el perejil y servir con pickles, o con un poco de hoja verde, o con rabanito rallado.

Propiedades

- Tonifica la sustancia básica de hígado, ayuda a la musculatura y refuerza la flexibilidad de los huesos. Aporta proteínas de buen nivel, por lo que ayuda también a las funciones cerebrales.
- Las personas con alergias y síntomas de calor deben evitar el ajo.

● Efecto reconstituyente

2 min   2-3 personas   5 min

Ingredientes

250 g de **seitán**, cortado en rodajas
½ diente de **ajo** picadito
1 cucharada de **aceite de sésamo o de oliva de primera presión en frío**
Perejil picadito

PROTEÍNAS
Seitán

Seitán
en salsa de almendras

● Efecto reconstituyente

🕐 3 min | 👥 2-3 personas | 🗑 22 min

Ingredientes

Un bloque de **seitán**, en filetes
15 **almendras biológicas sin tostar**
1 **cebolla** en cuadraditos
2 trozos de **jengibre fresco** cortado
(de 2 x 3 cm)
Caldo de **verduras** o **miso de cebada**
sin pasteurizar (diluido en agua)
Perejil picado
Aceite de sésamo de primera presión
en frío
Sal marina sin refinar

1. Hacer bien el seitán a la plancha con unas gotas de aceite y reservarlo para después.

2. En una cazuela pincelada con un poco de aceite, pochar la cebolla con el jengibre y una pizca de sal, añadiendo unas gotas de agua de vez en cuando para que no se pegue.

3. Cuando esté bien cocida, añadir las almendras y batirlo todo añadiendo caldo de verduras o de miso, hasta obtener la suavidad deseada.

4. Cocer el seitán con la salsa de almendras durante 5 minutos a fuego lento y servir espolvoreado de perejil.

Propiedades

• Plato muy reconstituyente que fortalece la digestión y ayuda a reponer los tejidos tras el desgaste físico o deportivo. En caso de sufrir debilidad digestiva (gases, digestiones lentas o distensión abdominal, por ejemplo), minimizar las almendras y la cantidad de aceite. También ayuda al hígado y al pulmón. Efecto ligeramente calmante y remineralizante.

Fricandó de seitán

● Efecto reconstituyente

⏱ 3 min   👤👤👤 2-3 personas   🗑 35 min

Ingredientes

2 zanahorias o **nabos** picados muy
menuditos
1 **cebolla** picada menuda
1 kg de **alcachofas**
1 taza de **guisantes**
1 pieza de **seitán** en filetes
**Aceite de sésamo biológico de
primera presión en frío**
Shoyu y sal marina

1. Quitar las hojas duras a las alcachofas y cortar en trozos pequeños. Sazonarlas y freírlas. Reservar en un plato sobre papel absorbente.

2. Rehogar la cebolla en un poco de aceite y, cuando esté blandita, agregar las zanahorias y sofreír bien.

3. Dorar el seitán en una sartén pincelada con aceite.

4. Añadir los guisantes, el seitán, un poco de agua mineral, un poco de shoyu y las alcachofas reservadas. Tapar y dejar cocer 20 minutos a fuego lento.

Propiedades

• Plato reconstituyente y nutritivo, de características similares al anterior, menos digestible (falta jengibre y miso) pero con efecto más regenerador sobre el hígado. Ayuda también a las funciones cerebrales y tiene efecto relajante y calmante.

PROTEÍNAS
Seitán

Seitán empanado

● Efecto reconstituyente

5 min 2-3 personas 15 min

Ingredientes

Un bloque de **seitán**,
cortado en filetes
Pan integral rallado
Harina integral biológica
Shoyu
Perejil picado o **copos de alga nori**
Aceite de sésamo de primera
presión en frío
2 cucharadas soperas de **kuzu**
disueltas en ¾ de un vaso de
agua mineral

1. Pasar los filetes de seitán por la harina, el kuzu, y el pan rallado.

2. Pincelar la sartén con el aceite y freírlo hasta que quede crujiente.

Propiedades

• Plato de menor poder nutritivo, por la fritura, pero apropiado para eventos, fiestas y picnics, por su facilidad de manejo. En dietas de transición, ayuda a «aficionarse» al seitán. Abstenerse si la salud o la digestión son delicadas.

PROTEÍNAS
Seitán

Sepia con guisantes

1. Limpiar la sepia, tirar la tinta y cortar el cuerpo en trozos de 2 x 2 cm. Cortar las patas en trozos regulares.

2. Poner la sepia cortada en una cacerola, cubrir con agua, poner el aceite y cocinar a fuego medio hasta que se evapore el agua, aproximadamente unos 12 minutos.

3. Añadir la cebolla y cocer a fuego lento durante unos 20 minutos, o hasta que se dore.

4. Agregar los guisantes, dejar cocer un poco con el sofrito y verter un poco de agua caliente, pero sin cubrir, porque los guisantes ya soltarán un poco de agua propia. Si son tiernos deberán cocer sólo 5 minutos. Si no es temporada, añadir la alcachofa previamente salteada.

5. Tirar la picada preparada con el ajo o la cantidad equivalente de jengibre, el perejil y un poco de harina diluida con agua; rectificar de sal y dejarlo cocer tan sólo 2 minutos más. Apagar el fuego y dejar reposar unos 3 minutos antes de servir.

● Efecto reconstituyente

5 min   4 personas   40 min

Ingredientes

4 **cebollas,** picadas finas
1 **sepia** de 750 g
1 kg de **guisantes** tiernos o
1 kg de alcachofa troceadita
1 **ajo** o la cantidad equivalente de **jengibre,** hojas de **perejil** y un poco de **harina**
2 cucharadas de aceite de **oliva** o de **sésamo prensado en frío**
Sal marina y **agua mineral**

Propiedades

- Plato adecuado también para otoño-invierno. En invierno, sustituir el guisante tierno (que se da a finales de verano) y la cebolla por zanahorias y cebolleta. Es un plato que «da peso», ideal en climas fríos y para personas que necesitan estabilizar la energía y tener los pies en la tierra. Muy nutritivo.
- Bueno para personas que hablan mucho y tienen sequedad de garganta. Tonifica la energía de hígado, riñón y pulmones.
- Ayuda a fortalecer el cuerpo y evitar hemorragias ya que es coagulantes, (por ejemplo: metrorragias).
- Sacia el apetito y el deseo de proteína y grasas. Bueno como sustituto para personas que se sienten atraídas por quesos pesados o huevos, si se acompaña de suficiente aceite de sésamo o de lino.

PROTEÍNAS
Pescado

Sardinillas al horno
con jengibre

Efecto reconstituyente

2 min   4-5 personas   7-10 min

Ingredientes

600 g de **sardinilla** fresca y limpia
2 cucharadas de **salsa de soja** diluida
en 4 cucharadas de agua
Jengibre fresco pelado y rallado
Sal marina fina
Aceite de **sésamo o de oliva**
prensado en frío

1. Pincelar con aceite una fuente para el horno y colocar las sardinillas haciendo una sola capa.

2. Esparcir la pulpa rallada de jengibre por encima de las sardinillas, regar con la salsa de soja diluida en agua y rociar con unas gotas de aceite.

3. Tapar la fuente (si no se dispone de tapadera, cubrir con papel vegetal) y cocinar en el horno precalentado a 180° durante 7-10 minutos, dependiendo del tamaño de las sardinillas. Servir caliente.

Propiedades

- Plato para estaciones frías. Muy proteico, indicado para gente con actividad física importante. Tomar de vez en cuando y servir siempre con verdura de hoja verde para proteger la flora intestinal y ayudar a desintoxicar, pues el pescado azul es más fuerte que el blanco.
- Este plato refuerza la estructura física, siendo bueno para la persona en buen estado de salud que quiere reforzar un poco más su cuerpo. Es menos «neutro» que el blanco y que, por supuesto, la proteína vegetal. Aporta menos claridad mental. Evitar si hay problemas de piel.

Pescado blanco
a la plancha

Efecto reconstituyente

2 min   4 personas   3-7 min

Ingredientes
4 rodajas o lomos
de **pescado fresco salvaje**
Perejil fresco picado
Rodajas de **limón ecológico**

Marinado:
Zumo de **limón, sal marina o salsa de
soja, aceite de sésamo o de oliva de
primera presión en frío, pimienta
negra**

1. Enjuagar las rodajas de pescado, secar y colocar en una fuente.

2. Mezclar los ingredientes del marinado y verter sobre el pescado. Tapar y dejar marinar en la nevera de 15 a 30 minutos.

3. Poner la plancha de hierro a calentar.

4. Escurrir el pescado y untarlo ligeramente con aceite.

5. Cocinar suficientemente el pescado: asarlo a fuego medio durante unos 3-7 minutos, dependiendo del grosor y del tipo de pescado. Darle la vuelta y asar unos 3 minutos más.

6. Espolvorear el perejil picado sobre el pescado. Servir con verdura verde y rodajas de limón.

Propiedades

- Tonifica el pulmón y la digestión. Es muy digestible. Reconstituyente de la sustancia básica; regenera el cuerpo. Servido con hoja verde tiene mínima toxicidad, a pesar de ser proteína animal.

PROTEÍNAS
Pescado

Atún a la plancha
con salsa verde

1. Poner la plancha de hierro a calentar a fuego fuerte.

2. Lavar, secar y sazonar ligeramente el atún. Untar cada filete con un poco de aceite y asarlo tan sólo un minuto por cada cara.

3. Servir con la salsa verde aparte, para que cada comensal se lo aliñe al gusto, acompañado de una buena ración de judías tiernas hervidas.

Nota

El atún debe ser lo más rojo posible y estar limpio de «hilos blancos» para prevenir los *anisaki*, parásitos habituales del pescado que mueren si se congelan a -23° C durante una semana, a -35° C durante 30 horas y a más de 70° C. Por ello, el pescado semicrudo o crudo, que es altamente nutritivo, debe estar fresco y limpio. Tradicionalmente, se sirve con jengibre y wasabi para evitar este extremo. Si no se tiene buen control visual sobre el pescado, se debe tomar bien hecho, sobre todo si se come en restaurantes, especialmente en los más novedosos o de postín, donde suelen dejarlo semihecho para conseguir más ternura en la textura. Esto es arriesgado en el pescado blanco sobre el que es difícil distinguir.

Propiedades

• Tonifica la sustancia básica, la sangre y los fluidos del hígado. Bueno para los estados anémicos y para fortalecer la estructura física en general. Siempre que quede rojo por dentro, ayuda a dar fuerza a los ojos y prevenir la sequedad y las «moscas» en los ojos (manchas negras y filamentos en el campo visual).

● Efecto reconstituyente

2 min   4 personas   3 min

Ingredientes

4 filetes de **atún fresco**
Sal marina fina
Aceite de **sésamo u oliva prensado en frío**
Salsa verde (ver receta en sección «Salsas»)

Guarnición:
Judías verdes hervidas

Pescado al vapor

● Efecto reconstituyente

3 min   4 personas   3-7 min

Ingredientes

600 g de **pescado fresco salvaje** en filetes o en rodajas

Marinado:
Zumo de **limón, sal marina o salsa de soja, aceite de sésamo o de oliva** de primera presión en frío y **pimienta negra**

1. Enjuagar y colocar el pescado en una fuente. Mezclar los ingredientes del marinado y verter sobre el pescado. Tapar y marinar en la nevera durante 15 minutos.

2. Colocar el pescado en una margarita o cestillo para cocer al vapor.

3. Añadir una hoja de laurel en el agua y cocer a fuego lento de 3 a 7 minutos, dependiendo del grosor de los filetes. Retirar inmediatamente del cestillo y servir caliente.

VARIANTES

• Lavar y cortar en trozos medianos 400 g de espinacas frescas y ponerlas en la vaporera. Colocar los trozos de pescado sobre el lecho de espinacas y cocer al vapor durante 7 minutos.

• El pescado al vapor con verdura verde queda delicioso servido con la salsa agridulce de umeboshi (ver sección «Salsas»).

Propiedades

• De fácil digestión, bueno para personas con debilidad digestiva. Bueno como sustituto de la carne y para reforzar la estructura física. Muy bueno para niños en crecimiento, para deportistas y para gente activa físicamente. Nivel de toxicidad razonable. Debe acompañarse siempre de verduras de hoja verde, para ayudar a su digestión y desintoxicación.

Gambas al ajillo

1. Pelar las gambas y retirar el conducto intestinal con un cuchillo afilado.

2. Lavarlas brevemente bajo un chorro de agua fría y secarlas bien.

3. Calentar aceite en una sartén y dorar los ajos durante 3 minutos.

4. Sazonar las gambas con sal y pimienta, espolvorearlas con un poco de harina y freírlas en el aceite de ajos y un chorrito de coñac durante 2 minutos por cada lado. Servir enseguida, adornadas con perejil.

Propiedades

- Tonifica la energía en la zona lumbar, potencia la líbido y la energía en los riñones. Buen tónico general.
- El ajo debe quedar suave y hecho con poco aceite, sino puede producir gases y picor en la piel. No debe tomarse si hay problemas de calor en la piel (acné, psoriasis, eccemas, etc.).

Efecto energizante

3 min   3-4 personas   5 min

Ingredientes

16 **gambas** grandes
4 dientes de **ajo**, pelados y cortados por la mitad
4 cucharadas de **aceite de oliva prensado en frío**
4 **cebollas** blancas pequeñas (cortadas en rodajas muy finas)
2 cucharadas de **harina** y **perejil** fresco picado
Sal y **pimienta** recién molida

Pescado en papillote

Efecto reconstituyente

5 min 4-5 personas 15 min

Ingredientes

4 **cebollas**
(cortadas a medias lunas finas)
2 **hinojos** (cortados a rodajas finas)
600 g de **pescado fresco salvaje**
(lavado, cortado a trozos y rociado
con limón)

Marinada:

4 cucharadas de **aceite de sésamo u
oliva prensado en frío**
4 cucharadas de **salsa de soja**
4 cucharadas de **jugo concentrado de
manzana**
1 cucharada de **aceite de sésamo**
tostado
Varias rodajas finas de **jengibre**
fresco pelado
Unas ramitas de **tomillo**
Pimienta negra recién molida

1. Mezclar todos los ingredientes en un bol grande junto con la marinada.

2. Cortar 8 trozos de papel de estraza (30 x 30 cm) y colocar dos de ellos superpuestos (una sola hoja podría dejar filtrar el jugo).

3. Colocar una cuarta parte de los ingredientes mezclados con un poco del líquido del marinado.

4. Cerrar con cuidado el paquete, que debe quedar holgado pero cerrado herméticamente, para que el vapor circule sin salir al exterior.

5. Colocar los paquetes con cuidado sobre una bandeja de horno. Pincelar el exterior del papel con un poco de aceite, para que no se reseque, y cocinar en el horno precalentado a 180º C durante 15 minutos. Servir enseguida.

NOTA
• Acompañar de hoja verde.

Propiedades

• Plato proteico de fácil digestión. Especialmente indicado para personas con digestiones pobres, con pies y manos frías y tendencia al cansancio. Las personas calurosas y de buena digestión pueden omitir la pimienta y reducir el jengibre, si tienen signos de calor.

PROTEÍNAS
Pescado

Tártar de atún
sobre canónigos

Efecto reconstituyente

7 min   3-4 personas   5 min

Ingredientes

4 **cebollas** blancas pequeñas (cortadas en rodajas muy finas)

400 g de filetes de **atún fresco** (lavados con agua fría y secados)

150 g de **hierba de los canónigos** (lavada y escurrida)

1 cucharada de **pasta de umeboshi** (o un poco de sal y pimienta)

1 cucharada de **albahaca** fresca picada

Zumo de ½ **limón**

1. Picar finamente los filetes de atún y mezclarlos con la pasta de umeboshi y el zumo de limón. Reservar en la nevera.

2. Escaldar en agua y mezclar con los aros de cebolla. Colar y reservar.

3. Dividir el picadillo de atún en 4 porciones y colocar cada una de ellas en forma de una cúpula en el centro de un plato. Distribuir las rodajas de cebolla y los canónigos alrededor del atún. Decorar el plato con gajos de limón y espolvorear con albahaca.

Propiedades

- Excelente para la vista y la musculatura. Para deportistas, gente activa y sometida a desgaste. Tonifica la sangre en general y mejora la frescura del hígado y el cuerpo, si se evita la pimienta. Con pimienta, en cambio, es un plato reconstituyente general, más o menos regenerante y refrescante, en función de lo picante que sea. La pimienta, que es picante caliente, puede añadirse si hay signos de frío, digestiones pesadas o falta de líbido. Evitar si hay signos de calor, sofocos, picor en la piel, etc. El wasabi, un picante frío, puede tomarlo todo el mundo (se vende en herbolarios y en tiendas de alimentación japonesas).
- En general, el pescado crudo es más yin que el cocinado, por lo que tensa y contrae menos y es más neutro que éste.

PROTEÍNAS
Pescado

Crema de café

Efecto relajante

3 min   4 personas   12 min

Ingredientes

1 l de **zumo de manzana biológico**
4 cucharadas de **alga agar-agar**
2 cucharadas de **kuzu**
1 cucharadita de ralladura de
naranja bio
2 cucharadas de moca de **cereales**
Un puñado de **pasas biológicas**
Un puñado de avellanas o **almendras
biológicas y sin tostar**
Sal marina

1. Hervir el zumo de manzana con el café de cereales, unos granitos de sal y el agar-agar, hasta su completa disolución (unos 10 minutos).

2. Agregar los frutos secos y la ralladura de naranja. Triturar con la batidora y ponerlo al fuego de nuevo.

3. En un recipiente aparte, disolver el kuzu con un poco de agua fría y añadirlo a la crema de café, removiendo constantemente hasta que se espese.

4. Dejar cuajar durante unos minutos y servir caliente o frío según apetezca.

Propiedades

- Postre nutritivo, relajante, moderadamente remineralizante, que se puede tomar cuando se tiene buena salud. Si las digestiones son flojas, añadir un poco más de kuzu y de café de cereales. Nutre suavemente el riñón. Lubrica el intestino. Relaja el hígado. Refresca el sistema en general. Ayuda a la producción de fluidos, por lo que va bien cuando hay sequedad en el cuerpo.
- Postre equilibrado, muy apropiado para el calor; pueden tomarlo niños, adultos y ancianos.

POSTRES
y meriendas

Compota de manzana

1. Pelar las manzanas, quitarles el corazón y cortarlas a trozos.

2. Colocar las manzanas en una cazuela, añadir el agua o zumo de manzana y una pizquita de sal. Cocer tapado y a fuego medio durante 20 minutos.

3. Añadir el jugo de jengibre, remover y servir con algo crujiente, por ejemplo: almendras laminadas y tostadas y unas tortitas de arroz.

Propiedades

- Las compotas de frutas combaten la tensión y relajan, sin bajar demasiado la energía. La cocción debe ser a fuego lento y puede durar desde 3 minutos hasta 1 ó 2 horas, cuidando de que haya suficiente agua. La compota de manzana de cocción corta calma el fuego del hígado y del estómago.
- Si bien son más digeribles que la fruta cruda, las compotas no refuerzan la digestión. Si se sufre de digestiones lentas, añadir canela en rama, jengibre o piel de limón durante la cocción. Asimismo, añadir al final de la cocción una cucharada de kuzu diluido en agua fría o zumo de manzana, y cocer 2-3 minutos removiendo hasta que se vuelva transparente.

Efecto relajante

3 min   4 personas   20 min

Ingredientes

1 kg de **manzanas**
½ taza de **agua mineral** o zumo de **manzana**
Una pizca de **sal marina**

Calabaza al horno

Efecto energizante

3 min   4 personas   50 min

Ingredientes

1 **calabaza**
Un chorro de **aceite de oliva**

1. Lavar y cortar la calabaza en rodajas, como si fuese un melón.

2. Untar las dos caras de cada rodaja con un poco de aceite y cocerla en el horno durante 50 minutos, o hasta que esté dorada y blanda.

3. A media cocción, darle la vuelta para que se dore por las dos caras.

VARIANTES
• Frotar unos granitos de sal antes de untarla de aceite o espolvorear con canela en polvo.

Propiedades

• Nutre e hidrata los intestinos (ayuda en el estreñimiento seco). Regula la hipoglucemia. Tonifica la absorción de nutrientes y tranquiliza y armoniza el estado de ánimo. Da energía y reconforta por su sabor dulce y su consistencia. Va bien para la vista y aporta energía.

Peras con canela

Efecto energizante

5 min   2 personas   5 min

Ingredientes

6-8 **peras dulces**
8 **nueces del país**, peladas y partidas
La **piel de 1 limón biológico**
Canela en polvo o en rama

1. Cortar las peras y ponerlas a hervir tapadas a fuego bajo, junto con la piel del limón troceadita y la canela, de 5 a 7 minutos.

2. Dejar enfriar y servir con las nueces.

Propiedades

• Elimina flemas del pulmón, desintoxica e hidrata, ayudando a la digestión, y tonificando la energía en los riñones y fortaleciendo la zona lumbar.

Tarta de ciruelas

1. Tostar la polenta con cuidado de que no se queme.

2. Calentar el zumo de manzana y verter sobre la polenta (dejar reposar unos minutos).

3. Cubrir el fondo de un molde de horno con la melaza y verter las ciruelas por encima.

4. Colocar la polenta sobre las ciruelas y hornear 45 minutos a 180ºC.

5. Desmoldar el pastel cuando se haya enfriado.

Propiedades

- Hidrata los intestinos y el estómago. Ayuda a evacuar. Bueno para calmar la irritabilidad. Evitar si se está bajo de energía y si hay síntomas de enfriamiento.

Efecto energizante

3 min   3 personas   55 min

Ingredientes

Una taza de **polenta**

1 l de **zumo de manzana biológico**

250 g de **ciruelas pasas biológicas**, abiertas por la mitad

2 ó 3 cucharadas de **melaza de cebada o remolacha**

Tarta de manzana

Reconstituyente/
relajante

5 min   4 personas   55 min

Ingredientes

2 kg de **manzanas**,
peladas y cortadas a trozos
2 **manzanas peladas** y cortadas
en rodajas finas para adornar
2 cucharadas de **kuzu**
2 cucharadas de **alga agar-agar**
Una pizca de **sal marina**
Masa para la tarta
$^1/_2$ taza de **copos de avena finos**
$^1/_2$ taza de **harina integral**
$^1/_2$ cucharadita de moca
rasa de **sal marina**
6 cucharadas de **melaza de maíz**
2 cucharadas de **aceite de maíz o
girasol de primera presión**
$^1/_2$ cucharadita de ralladura de **naranja
o limón muy fina**
Un poco de **canela en polvo** o **vainilla
en polvo**
Zumo de manzana biológico frío
Glaseado dulce
1 taza de **zumo de manzana**
2 cucharadas de **melaza**
1 cucharadita de moca de **kuzu** o
arrorrut
1 cucharadita de moca de **agar-agar**

1. Hacer una compota con las manzanas, el alga agar-agar y un poco de zumo de manzana, cocinándola hasta que quede espesa. A parte, disolver el kuzu en un poco de agua o zumo de manzana frío y añadirlo a la compota, removiendo constantemente hasta que espese.

2. Mezclar los copos con la harina y un pellizco de sal. Añadir el aceite, la melaza y la ralladura de limón e ir agregando zumo de manzana para ligar la masa, pero sin mezclarlo con las manos: tan sólo hay que ir mezclándolo un poco con un cuchillo de punta redonda y dejar que quede totalmente con grumos.

3. Extender la masa con un rodillo, colocarla en un molde pincelado con aceite y cortar la masa que sobresalga del molde. Pinchar la masa y hornear a 200° durante 15 minutos o hasta que esté ligeramente tostada y crujiente.

4. Esparcir la compota espesa sobre la base y adornar con rodajas finas de manzana.

5. Gratinar la tarta durante unos minutos para dorar las manzanas.

6. Para dar brillo, se puede glasear la tarta: hervir el alga agar-agar con zumo de manzana, hasta que se disuelva. Añadir la melaza y el kuzu (previamente diluido en un poco de agua fría) y remover constantemente hasta que se vuelva transparente. Verter sobre la tarta y dejar enfriar antes de cortar.

Propiedades

• Tonifica la sangre y los fluidos del hígado, lo cual ayuda indirectamente a estar más relajados. Quita tensión e invita al buen humor. Refresca y lubrica el intestino grueso e indirectamente los pulmones. Ligeramente mucógeno: abstenerse en caso de tener mucosidades.

POSTRES
y meriendas

Pastel de zanahorias

Efecto energizante

3 min   3-4 personas   80 min

Ingredientes

1 l de **zumo de manzana biológico**

1 bol de **polenta**

¼ de bol de **mijo**

500 g de **zanahorias** ralladas finamente

1 cucharada de **jugo de jengibre fresco**, rallado y escurrido

Un puñado de **almendras** troceadas

Un puñado de **pasas biológicas**

Aceite de sésamo de primera presión en frío

1. Hervir primero el mijo con una pizca de sal en la siguiente proporción: 1 medida de mijo por 3 medidas de agua, durante 15-20 minutos, tapado.

2. Mezclar el mijo cocido con el resto de ingredientes y ponerlo en un molde para horno, untado con un poco de aceite de sésamo.

3. Hornear a 120ºC durante 1 hora.

Dejar enfriar el pastel antes de cortar.

Propiedades

• Este postre es de los más tonificantes del recetario. Tonifica la digestión de forma suave. Aporta fluidos, nutre y tonifica los intestinos. Excelente para recuperar energía tras el ejercicio. Muy indicado para niños.

POSTRES
y meriendas

Manzanas con granola

1. Mezclar todos los ingredientes para granola, empezando por los secos y añadiendo el aceite y la melaza un poco caliente.

2. Pelar y cortar las manzanas en dados y colocarlas en una fuente para horno.

3. Añadir unos granitos de sal sobre las manzanas y rociar con una taza de zumo de manzana.

4. Cubrir las manzanas con la mezcla (granola) y hornear durante 10 minutos con tapa o cubierto con papel vegetal. Destapar y dejar 10 minutos más o hasta que esté crujiente.

VARIANTES
- Sustituir las manzanas por peras o melocotones.
- Sustituir las pasas por orejones de albaricoque naturales.
- Añadir otras semillas y frutos secos tostados.

Propiedades

- Energizante, tonificante y reconfortante. Ayuda a producir fluidos, hidratante y reconstituyente. Combate la sequedad en general. Para personas con buen nivel digestivo. Tonifica suavemente los riñones y el hígado. Si se hace la versión con peras, ayuda a disolver mucosidades y lubrica el pulmón. Evitar si se está bajo de energía.

● Efecto reconstituyente

2 min   4-5 personas   20 min

Ingredientes
750 g aprox. de **manzanas**
1 taza de **zumo de manzana biológico**
Una pizca de **sal marina**

Granola:
1 taza de **copos de avena finos**
½ taza de **harina integral**
½ taza de **semillas de girasol biológicas**
½ taza de **pasas de corinto biológicas**
3 cucharadas de **melaza de trigo** o **concentrado de manzana**
3 cucharadas de **aceite de maíz, sésamo o girasol biológico**
Ralladura de **naranja**, al gusto
Canela en polvo, al gusto

Peras al jengibre

● Efecto reconstituyente

5 min   4-5 personas   12 min

Ingredientes

1 kg de **peras medianas** y una pizca
de **sal marina**

Salsa al jengibre:
El líquido de cocer las peras
3 cucharadas de **melaza de arroz** o
maíz
1 cucharada de **kuzu**
1 cucharada de jugo de **jengibre
fresco, rallado y escurrido**
Zumo de manzana biológico

1. Pelar las peras enteras, conservando el rabito, y cortar un poco su base para que se sostengan de pie. Colocarlas de pie en un cazo y cocerlas con un fondo de agua y una pizca de sal, hasta que estén blandas. Pasarlas a una fuente de servir y reservar.

2. Diluir el kuzu en un poco de zumo de manzana o de agua mineral y mezclar con el líquido de la cocción. Hervir un par de minutos, removiendo constantemente hasta que espese y se vuelva transparente. Agregar el jugo de jengibre y endulzar con melaza.

3. Glasear las peras con la salsa de jengibre.

Propiedades

• Excelente para disolver flemas, en caso de exceso de mucosidad. Si la flema es muy pegajosa, reducir un poco el jengibre. Lubrica los intestinos. Postre no apropiado para niños: para ellos, se puede sustituir el jengibre por canela. En este caso, fortalece los riñones y aumenta las defensas contra el enfriamiento.

POSTRES
y meriendas

Tiramisú
de amasake y frutos del bosque

Efecto relajante

🕑 3 min   👥 4 personas   🗑 10 min

Ingredientes
1 bote de **amasake de arroz** o de **mijo**
3 cucharadas de **crema de almendras**
1 cucharada de jugo de **jengibre** fresco (rallado y escurrido)
1 cucharadita de **canela** en polvo
Galletas sin azúcar ni fructosa
Zumo de manzana

Decoración:
Frutos del bosque frescos o en mermelada (sin azúcar ni fructosa)

1. Poner una capa de galletas en un molde e impregnarlas con zumo de manzana.

2. Preparar la crema para el relleno: diluir la crema de almendras con un poco de agua caliente y una pizca de sal. Mezclar bien junto con el amasake, la canela y el jugo de jengibre. Verter la mitad del relleno sobre el fondo de galletas, formando una capa de un dedo de grosor.

3. Añadir otra capa de galletas impregnadas con zumo de manzana, y una segunda capa de relleno de amasake. Tapar y dejar enfriar en la nevera: el tiempo ideal para que amalgame es de 12 a 24 horas.

Antes de servir, cubrir el pastel con una capa gruesa de mermelada o decorarlo con frutos del bosque frescos.

VARIANTES
- Para los niños, evitar el jengibre. Y para mayores, se puede mezclar el zumo de manzana con un poco de mirin, vino dulce de arroz.
- Queda muy suave con una capa de compota de manzanas espesa (preparada con un poco de agar-agar y kuzu).

Propiedades
- Aporta fluidos al cuerpo: hidrata intestinos, ayuda a producir jugos digestivos y de pulmón. Relajante. Baja el tono energético en general.

Barritas de cereales,
semillas y frutos secos

Efecto energizante

3 min   3-4 personas   10 min

Ingredientes

50 g de **galletas de arroz**
(desmenuzadas)
4 cucharadas de **semillas de calabaza, sésamo** y/o **girasol**
(lavadas y tostadas)
4 cucharadas de **almendras, nueces** y/o **avellanas** (tostadas, peladas y troceadas)
4 cucharadas de **pasas** (sin lavar)
4 cucharadas de **melaza de arroz**
1 cucharadita de **canela** en polvo

1. Lavar las semillas y tostarlas ligeramente (cada tipo por separado) en una sartén sin aceite, moviéndolas continuamente con una espátula de madera. Colocarlas inmediatamente en un plato plano para que se enfríen.

2. Colocar todos los ingredientes en una cazuela con fondo difusor grueso, a fuego medio-bajo, y mezclarlos muy bien hasta obtener una masa compacta y amalgamada por la melaza. ¡No utilizar agua!

3. Cubrir un molde con papel vegetal y verter la masa caliente en el molde. Cubrir con otro papel, aplanar y aplastar bien, hasta obtener consistencia de turrón. Opcional: para que quede más crujiente, gratinar 2-3 minutos en el horno caliente. Antes de cortar, dejar que se enfríe. Guardar en un bote hermético.

Propiedades

- Energizantes. Lubricantes. Ayudan a tonificar y recuperar la postura corporal, cuando cuesta mantener la espalda derecha por falta de energía.
- Da fuerza a los riñones. Tonifica la esencia.
- Recomendable: acompañarlo de té de 3 años con regaliz, café de cereales con leche de avena u otros.
- Evitar en caso de hipoglucemia.

Postres
y meriendas

Flan de frutas
(Kanten de agar-agar)

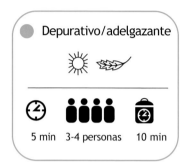

Depurativo/adelgazante

5 min — 3-4 personas — 10 min

Ingredientes

1 **melocotón de viña** y 1 **manzana**,
pelados y cortados
en cubos de 1 cm.
4 tazas de **jugo de manzana, uva
roja** o **pera**
5 cucharadas de copos de **agar-agar**
3 cucharadas de **almendra
tostada y partida**
3 cucharadas de **kuzu** (opcional)
2 cucharadas de **ralladura de limón**
Una pizca de **sal marina**

1. Hervir el zumo elegido con los copos de agar-agar durante 10 minutos, o hasta que se disuelva.

2. Añadir el resto de los ingredientes. Verter en un molde (o varios moldes) y dejar enfriar.

3. Servir con la almendra tostada.

Propiedades

- Este plato tiene un efecto laxante y depurativo. Aporta fluidos, potasio e hidrata el cuerpo.
- Es un plato refrescante, que está indicado para verano y otoño (primera parte del otoño) como postre o merienda, siendo una manera de tomar fruta sin estar cruda, evitando así su rudeza (ésta no favorece ni el estudio, ni la concentración, ni la interiorización) y su fuerte efecto expansivo, pero conservando, sin embargo, sus propiedades. Es también una manera de tomar fruta con algo de minerales.
- En personas con constitución débil o sistema digestivo delicado, es mejor añadir kuzu: éste se disuelve en media taza de agua fría y se añade los 3 últimos minutos a la cocción de agar-agar, hasta que transparenta. El kuzu da más consistencia y energía a este flan sin alterar el sabor.

Salsas y aliños

Evitar el ajo y la pimienta (picantes calientes) en caso de hemorroides, picores, problemas en la piel, insomnio, accesos de cólera, irritabilidad o trabajos espirituales. En general, es más recomendable utilizar el jengibre, aunque tampoco debe usarse en casos de problemas de piel o exceso de calor interno.

Salsa vinagreta

Efecto digestivo

5 min   4 personas

Ingredientes

2 cucharaditas de moca de **shoyu** (salsa de soja)

2 cucharaditas de moca de **aceite de oliva** de primera presión en frío

2 cucharaditas de **moca de vinagre de arroz**

2 cucharaditas de **moca de mostaza natural**

1. Mezclar todos los ingredientes.

Propiedades

- Tonifica el metabolismo y, suavemente, la concentración.
- Estimula la digestión y facilita la asimilación de verduras de naturaleza termal fría, como las ensaladas frías.
- Aumenta la secreción de bilis y flujos gástricos.
- Abre los sentidos hacia fuera.
- Si la salud es delicada, se puede sustituir el aceite de oliva por aceite de lino (éste se debe conservar en la nevera, pues se oxida más fácilmente) y eliminar la mostaza.

Salsa de miso naranja

1. Tostar ligeramente las nueces y trocearlas finitas.

2. Mezclar los ingredientes y servir sobre la verdura o la ensalada seleccionada. Va bien con amargos (achicoria, endivia, escarola...).

Propiedades

• Tonifica la digestión y ayuda a suavizar las verduras y ensaladas, quitándole rudeza a éstas y facilitando la digestión de aquéllas.

• Estimula al hígado en su función biliar y refuerza suavemente la secreción gástrica.

Depurativo/adelgazante

5 min · 3-4 personas · 2 min

Ingredientes

8-10 **nueces** peladas
2 cucharadas de **zumo de naranja**
2 cucharadas de **aceite de oliva** o de **sésamo** de primera presión
2 cucharaditas de **moca de miso**
2 cucharaditas de **moca de vinagre de arroz**
$1/3$ de cucharadita de moca de **cáscara de naranja** biológica rallada

Salsa verde
(pesto de almendras)

● Efecto reconstituyente

5 min | 3-4 personas

Ingredientes

1 taza de hoja de **perejil**
½ taza de hoja de **albahaca**
2 cucharadas de **piñones** o 2 **nueces**
2 cucharadas de **almendra en polvo**
4 cucharadas de **aceite de oliva**
1 cucharada de **pasta de umeboshi** o
1 cucharadita de **sal fina**
1 diente de **ajo** o la cantidad equivalente de **jengibre** (opcional)
Agua o **zumo de manzana**
Una pizca de **pimienta negra** recién molida (opcional)

1. Poner todos los ingredientes en la batidora e ir agregando el agua o zumo de manzana hasta obtener la consistencia deseada.

2. Guardar en la nevera en un bote hermético.

Propiedades

• Salsa para enriquecer la comida y aumentar el efecto nutricional de los alimentos a los que acompañe.
• Estimula la digestión, aumenta los fluidos y lubrica el cuerpo y las articulaciones.
• Es adecuada para después de hacer deporte, para el crecimiento, convalecencia y para los estudiantes, sin pimienta ni jengibre; si se añaden, entonces es digestiva.

SALSAS
y aliños

Salsa de tomate
(sustituto)

1. Saltear el ajo o la cantidad equivalente de jengibre y las cebollas en una cazuela con un poco de aceite y una pizca de sal, durante 10 minutos o hasta que empiecen a dorarse.

2. Añadir la zanahorias, el orégano, otra pizca de sal y agua que cubra $1/3$ del volumen de las verduras. Tapar y cocer a fuego medio durante 15 minutos.

3. Si hubiera demasiado líquido, sacar un poco antes de hacerlo puré, pues la consistencia debe ser un poco espesa.

4. Empezar por añadir sólo $1/3$ de la remolacha, los condimentos y batir bien. Dejar reposar 5-10 minutos y, si hace falta, ajustar el color con un poco más de remolacha, y el sabor con más condimentos, hasta conseguir un aspecto y un sabor de salsa de tomate.

NOTAS

• Conviene ir añadiendo la remolacha poco a poco, para que, al mezclarla con el naranja de la zanahoria, se consiga un color rojo como si se tratara de tomate.
• Cocinar con poca sal al principio, pues el vinagre de umeboshi también es salado.

Propiedades

• Tiene un efecto relajante, tranquiliza el humor, pero siempre que se prepare evitando la pimienta y el ajo. Ayuda a hacer más nutritivo, untuoso y sustancioso el plato. Con la pimienta, el ajo o el jengibre, se estimula más la digestión.
• No debe combinarse con platos de pescado ni de marisco.

● Efecto reconstituyente

3 min — 3-4 raciones — 30 min

Ingredientes

6 **zanahorias** (a rodajas finas)
2 **cebollas** (cortadas finas)
1 **remolacha** pequeña cocida (a rodajas finas)
3 cucharadas de **aceite de oliva** o de **sésamo** y **sal marina**
1 cucharada de **orégano seco**
2 dientes de **ajo** o la cantidad equivalente de **jengibre** (picados)
Condimentos:
2 cucharadas de **vinagre de umeboshi**
2 cucharadas de **concentrado de manzana**

Salsa de sésamo
y alga dulse

Efecto reconstituyente

⏱ 7 min 👥 3-4 raciones 🗑

Ingredientes

½ taza de **alga dulse**
2 cucharadas de **tahín** sin sal (crema de sésamo)
1 cucharada rasa de **pasta de umeboshi** o 2 cucharadas de **salsa de soja**
1 cucharada de **concentrado de manzana líquido**
1 taza de **agua mineral**

1. Remojar el alga en agua fría que tan sólo la cubra, durante 3 minutos.

2. Escurrir y molerla en un mortero o suribachi, junto con el tahín, la umeboshi y el concentrado de manzana.

3. Mezclar bien e ir añadiendo agua, poco a poco y a medida que se remueve, hasta conseguir la consistencia deseada.

Propiedades

• Salsa refrescante, untuosa y nutritiva. Aumenta los fluidos corporales. Lubrica las articulaciones. Armoniza la energía. Tonifica la sustancia básica de los órganos. Buen efecto sobre el hígado.

Salsa boloñesa
de seitán

1. Saltear las cebollas con un poquito de aceite de oliva o de sésamo y una pizca de sal marina, hasta que empiecen a dorarse. Añadir los ajos o la cantidad equivalente de jengibre y saltear 1-2 minutos. Saltear sin tapa.

2. Añadir el seitán, la zanahoria y la remolacha, un poco de sal, laurel y orégano. Tapar y dejar a fuego medio-bajo, durante 20-25 minutos.

3. Retirar el laurel, añadir los condimentos y hacerlo puré. Mezclar bien y rectificar la consistencia de la salsa añadiendo agua caliente.

4. Añadir una picada de almendras y perejil y servir caliente.

Propiedades

• Salsa nutritiva. Efecto tonificante del nivel de energía. Buen aporte proteico.

● Efecto reconstituyente

3 min   4 raciones   35 min

Ingredientes

1 bloque de **seitán** (triturado)
1 kg de **zanahorias** (en rodajas)
3 **cebollas** (a media luna)
1 **remolacha** pequeña cocida (a trozos)
2 dientes de **ajo** o la cantidad equivalente de **jengibre** (picado)
Salsa de soja, orégano y laurel
Almendras tostadas y trituradas y **perejil** fresco picado
Condimentos:
2 cucharadas de **vinagre de umeboshi**
2 cucharada de **concentrado de manzana**

Salsa de setas
para pasta

Efecto relajante

2 min   4 raciones   35 min

Ingredientes
3 **cebollas** picadas
½ paquete de **tofu** fresco
250 g de **setas** de temporada
(en láminas)
3 cucharadas de **crema
de leche de avena**
3 cucharadas de **semillas de sésamo**
tostadas y molidas
3 cucharadas de **salsa de soja**
1 cucharada de **aceite de sésamo sal**
y **pimienta fresca** (optativa)
Hierbas aromáticas al gusto, **perejil**
picado y una punta de **ajo** o **jengibre**

1. Saltear las cebollas con aceite y sal durante 10 minutos.

2. Agregar las setas, la sal y las hierbas aromáticas. Tapar y cocer a fuego lento, hasta que todo el jugo se haya evaporado. Añadir el ajo picado o la cantidad equivalente de jengibre picado; cocinar 4 minutos más y reservar.

3. En un cazo aparte, hervir el tofu con un fondo de agua durante 5 minutos.

4. Añadir la crema de leche de avena, la salsa de soja, el sésamo molido, aceite de sésamo, y la mitad del salteado de setas, y batirlo añadiendo agua, hasta obtener la consistencia de salsa. Agregar el perejil y mezclarlo con el resto de salteado. Servir caliente sobre la pasta.

Propiedades

- Tiene un efecto relajante, tranquiliza el humor, pero siempre que se prepare evitando la pimienta y el ajo. Ayuda a hacer más nutritivo, untuoso y sustancioso el plato. Con la pimienta, el ajo o el jengibre, estimula más la digestión.
- No debe combinarse con platos de pescado ni de marisco.

Shio Nori
(condimento de alga nori)

Efecto reconstituyente

13 min   6 raciones   10 min

Ingredientes
8 hojas de **alga nori**
1 cucharadita de **tamari**

1. Cortar la nori a trocitos y remojarla 5 minutos en una taza de agua mineral.

2. Cocerla con el agua del remojo durante 8 minutos a fuego lento.

3. Añadir el tamari y cocer 2 minutos más.

4. Conservar esta pasta en un frasco de cristal en el frigorífico y servir una cucharadita sobre el cereal en cada comida.

Propiedades

- Para todos los problemas de piel y mucosas. Eccemas, quemaduras, úlceras, etc. Riquísimo en vitamina A. También resulta excelente para ayudar a curar heridas y para los problemas de cabello y uñas.
- No tomar alga nori si hay debilidad digestiva.

Gomashio

Efecto digestivo

3 min   8 raciones

Ingredientes
18 cucharaditas de **sésamo** tostado
1 cucharadita de **sal marina gruesa**

1. Mezclar en el mortero o suribachi la sal y el sésamo tostado y triturarlo todo hasta que los granos de sésamo queden molidos en un 80% (otra forma menos ortodoxa sería hacerlo en el molinillo de café, pero no hay que excederse para evitar que se convierta en puré tipo tahín).

2. Guardar en un bote hermético y servir una cucharadita sobre el cereal, siempre con perejil picado crudo.

Propiedades

- Fortalece la digestión y remineraliza; ayuda a la asimilación y aporta nutrientes y aminoácidos esenciales. Alcaliniza la sangre y la fortalece. No se debe tomar más de una cucharadita por comida.

Nori tostada

1. Tostar una hoja de alga nori pasándola sobre la llama de la cocina por la cara rugosa y hasta que cambie de color negro a verde.

2. Cortarla en tiritas y comerla tal cual, o llevarla en el bolso, para tomar como snack cuando se desee. Se usa para hacer los nori maki, rollitos de nori con arroz (plato típico japonés).

Propiedades

- Similares a las del Shio Nori. Resulta excelente para regenerar la piel y mejorar todos los tejidos en general. Es muy rica en vitamina A. Suele gustar tanto a niños como a adultos.
- No tomar alga nori si hay debilidad digestiva.

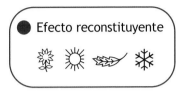

Efecto reconstituyente

Ingredientes
1 taza de **alga hiziki**
½ cucharada de **vinagre de arroz** (o de manzana)
1 cucharada de concentrado de **manzana líquido o mirin (vino de arroz,** optativo)
1 cucharada de aceite de **sésamo**
1 cucharada de salsa de **soja**

Shio-Kombu

1. Remojar el alga kombu de 5 a 10 minutos y cortarla en tiritas del tamaño del dedo meñique.

2. Hervir con el agua de remojo y el tamari, a fuego muy lento y con tapa, durante 45 minutos.

3. Enfriar y guardar en un frasco de cristal. Tomar de 2 a 4 tiritas por comida.

Propiedades

- Remineraliza y alcaliniza la sangre. Va muy bien para eliminar el cansancio y fortalecer la digestión. Combate la anemia. Fortalece los riñones, el bazo, la linfa y el sistema nervioso.
- Excelente en caso de varices.

Efecto digestivo

Ingredientes
¾ de taza de **agua mineral**
⅓ de taza de **tamari**
Varios trozos de **alga kombu**

Goma-wakame
(sésamo y alga wakame)

Efecto digestivo

13 min   6 personas   8 min

Ingredientes

5 cucharadas de **sésamo tostado**
1 trozo de **alga wakame**

1. Poner el alga wakame (tal y como viene del paquete) en el horno caliente y tostarla de 5 a 8 minutos, vigilando que no se queme.

2. Triturarla en un mortero o suribachi, hasta hacerla polvo.

3. Mezclar en el mortero 5 partes de sésamo por 1 de polvo de alga wakame, y triturarlo todo hasta que los granos de sésamo queden molidos en un 80%.

4. Guardar en un bote hermético y servir una cucharadita sobre el cereal.

Propiedades

- Excelente remineralizante y alcalinizante rico en fósforo, calcio, magnesio, zinc, manganeso, etc. Ideal para añadirlo al cereal, junto con perejil picado crudo (u otra verdura al gusto). Ayuda a las digestiones y realza el sabor de las comidas.
- El goma-wakame es mejor que el gomashio para personas muy yanguizadas (muy yang) y para niños y mujeres con un buen nivel de actividad.
- Por otra parte, el goma-wakame refuerza el sistema nervioso y los riñones. Asimismo, fortalece el estómago y la sangre, con lo que resulta muy conveniente tomarlo cuando se sufre de anemia.

Miso
con puerros o cebolletas

1. Rehogar los puerros o cebolletas en el aceite.

2. Añadir el miso con agua y cocer a fuego mínimo de 5 a 10 minutos, o hasta que se evapore el agua.

3. Servir sobre los cereales.

Propiedades

- Estimula la digestión.
- Remineraliza la sangre.
- Ayuda a combatir la anemia.
- Tomar en invierno y con mucha moderación si hace calor. En este último caso, sólo si la condición de la persona es muy débil.
- Se sirve poca cantidad: dos cucharadas.

Efecto digestivo

3 min   3 personas   10 min

Ingredientes

1 manojo de **puerros** o **cebolletas** limpios y cortados finamente
1 cucharada de **aceite de sésamo de primera presión en frío**
1 cucharada de **miso de cebada** disuelto en ½ taza de **agua mineral**

Té de tres años
«Bancha» u «Hojicha» (de hojas)

Depurativo/adelgazante

1. Verter una cucharada de té en 1 litro de agua hirviendo. Este té debe quedar suave.

Propiedades

- Es un té digestivo y alcalinizante. Contiene muy poca teína. Sirve como base para un gran número de bebidas medicinales. Ayuda a reducir el colesterol y tiene un ligero efecto adelgazante.

con regaliz

Efecto reconstituyente

1. Hervir una cucharada de regaliz desmenuzado en 1 litro de agua, durante 5 minutos, a fuego lento y tapado. Luego añadir el té de tres años y proceder como en los casos anteriores.

Propiedades

- El regaliz es un endulzante natural que da energía y armoniza, calma y relaja. Se puede tomar a cualquier hora y en cualquier estación. No abusar del regaliz si se tiene hipertensión renal. Excelente para personas que hablan mucho, para lubricar la boca y la garganta, y para aportar fluidos al pulmón. Bueno para calmar el espíritu, relajar la cólera e irritabilidad y armonizar las emociones. Calma el exceso de tensión en el hígado.

«Kukicha» (de ramitas)

Depurativo/adelgazante

1. Hervir una cucharada de té en 1 litro de agua, durante 5 minutos, a fuego lento y tapado. Se puede dejar reposar otros 10 minutos más.

Propiedades

- Es un té remineralizante. Alcaliniza y combate el cansancio. Es digestivo y de propiedades similares al Bancha. Al no contener teína, lo pueden tomar los niños, pero combinado con zumo de manzana, cáscara de naranja, leche de arroz o avena. Combina bien con un sinfín de ingredientes.

Té de tres años
con Daikon

1. Hervir una cucharada de Daikon seco (nabo seco rallado) en 1 litro de agua, durante 20 minutos, a fuego lento y tapado. Luego, añadir una cucharada de té Kukicha los últimos 5 minutos. Dejar reposar 5 minutos.

Propiedades

• Es una bebida depurativa y remineralizante. Alcaliniza y es de mucha ayuda cuando se siguen dietas de adelgazamiento. Muy drenante, no abusar. Si se tiene una constitución frágil, no se debe tomar más de tres veces por semana. Si se quiere adelgazar y se tiene una constitución fuerte, con los riñones en buen estado, tomar de 5 a 10 días seguidos y después acabar con días alternos hasta hacer 2 semanas.

Depurativo/adelgazante

Té Mú

1. Hervir una bolsa de té en 1 litro de agua durante 10, 20 o 30 minutos. Una vez hervida la bolsa, se puede aprovechar para una segunda vez, hirviéndola con la mitad de agua.

Propiedades

• Este té vigoriza y tonifica todo el cuerpo, especialmente la sangre, la digestión, los riñones y los órganos sexuales. Se aconseja beberlo durante el día, no por la tarde o antes de irse a dormir. Cuanto más tiempo de cocción empleemos, más potente será su efecto. Conviene empezar probando una cocción de 10 minutos.

Efecto energizante

Leche de avena

Efecto relajante

1. Todas las leches son nutritivas y lubricantes, pero difíciles de digerir, por lo que se recomienda hervirlas un mínimo de 5 minutos con un poco de sal marina. Si nuestra digestión es lenta, se puede hervir con canela en rama, piel de limón, jengibre y/o kuzu (el kuzu se disuelve en un poco de agua fría y se añade al final de la cocción, removiendo hasta que espese ligeramente). Otra forma de hacer la leche más digestiva es tomarla con café de cereales instantáneo Yannoh o Dintel Coffee.

La leche de avena es más nutritiva que la de arroz y es ideal para lubricar los pulmones e intestinos, así como la boca y la garganta si hay sequedad. Según qué tipo de leche de avena sea, se espesa un poco una vez abierta y puede requerir que se le añada un poco de agua.

Leche de soja

Efecto relajante

1. Es la leche vegetal menos mucógena, pero la de condición más fría y la más indigesta de todas, por lo que necesita una cocción más prolongada, de un mínimo de 20-25 minutos, con un trozo de alga kombu o unos granitos de sal. Si se toma cruda, puede producir flatulencias, ralentizar el proceso digestivo, propiciar el empeoramiento de alergias o producir cansancio, dependiendo de las personas. Les va bien a las personas con mucho fuego digestivo y sequedad.

Leches vegetales
en polvo (sin azúcar ni fructosa)

1. Son algo más mucógenas. Muy nutritivas. Es una buena opción por la gran variedad que existe (almendras, avellanas, castañas...). Procurar que estén libres de edulcorantes (azúcar de caña, fructosa, aspartame, etc.).

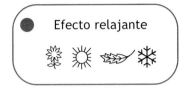

Efecto relajante

Leche de arroz

1. Igual que la de avena, es ideal para lubricar la boca y la garganta si hay sequedad.

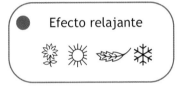

Efecto relajante

Café de cereales
instantáneo (tipo «Yannoh»)

1. Suavemente alcalinizante. Efecto tonificante sobre la energía digestiva. Ayuda a contraer el estómago, gracias a su sabor amargo. Ayuda a la concentración mental.

Efecto digestivo

Ume-Sho-Kuzu
(Umeboshi, Shoyu y Kuzu)

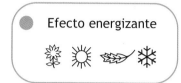

Efecto energizante

Ingredientes

1 **ciruela umeboshi**
1 taza de **agua mineral**
1 cucharada de **kuzu**
Unas gotas de **shoyu o tamari**

1. Desmenuzar la ciruela umeboshi, mezclar con el agua y llevar a ebullición.

2. Diluir el kuzu con un poco de agua fría y añadirlo, junto con unas gotas de shoyu, removiendo hasta que se vuelva transparente. Tomar caliente.

Propiedades

- Combate el cansancio y ayuda a solventar todos los problemas digestivos causados por el consumo excesivo de alimentos de tipo yin (azúcar, fruta, etc.).
- Corta las diarreas y fortalece la sangre. Excelente en el catarro de vías altas, amigdalitis, y en todos los problemas linfáticos, tanto en adultos como en niños. Corta el comienzo del resfriado o de la gripe. Cuando el resfriado ya se ha establecido, alivia los síntomas y acorta su duración.

Té de Kombu

Depurativo/adelgazante

Ingredientes
6 cm de **alga kombu**
1 l de **agua minera**

1. Remojar el alga en el litro de agua y hervir durante media hora en la misma agua de remojo.

Propiedades

- Corta las hemorragias menstruales debidas al exceso de calor. Para este propósito, se toma frío. Es, además, un excelente remineralizante y depurativo de sangre y linfa.

Té de arroz
integral tostado

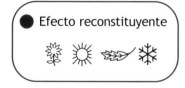

Efecto reconstituyente

Ingredientes
2 cucharadas de **arroz integral biológico** lavado
1 l de **agua mineral**

1. Tostar el arroz en seco hasta que se dore, removiendo constantemente para que no se queme.

2. Añadir el arroz en una cacerola con el agua. Llevar a ebullición, reducir el fuego a medio-bajo y cocinar varios minutos. Beber caliente.

Propiedades

- Bebida remineralizante que tonifica la digestión.

BEBIDAS medicinales

Tamari-Bancha

1. Poner la cucharadita de tamari en una taza de té.

2. Verter encima el té Bancha, muy caliente, y remover. Tomar caliente.

Propiedades

- Excelente para vigorizarse, combatir el cansancio y la falta de fluidos, pues alcaliniza rápidamente la sangre. Una taza basta.

Efecto digestivo

Ingredientes
1 cucharadita de **tamari**
1 taza de **té Bancha** muy caliente

Té de Umeboshi

1. Hervir la ciruela umeboshi en un litro de agua durante 30 minutos y colar.

2. Dejar enfriar y beber: si sabe demasiado salada, añadir más agua.

Propiedades

- Indicado en todo tipo de diarreas infecciosas. Hidrata y combate la infección intestinal, ayudando al restablecimiento de la flora saprofita. Alcaliniza la sangre.
- Es una bebida refrescante para el verano.
- No abusar, pues es un té bastante salado.

Efecto digestivo

Ingredientes
1 **ciruela umeboshi**
1 l de **agua mineral**

Bebidas medicinales

Té de azukis

Depurativo/adelgazante

Ingredientes
1 taza de **azukis**
1 l de **agua mineral**
1 tira de 8 cm de **alga kombu**

1. Poner en una olla los azukis, el agua y la tira de alga kombu.

2. Llevar a ebullición, bajar el fuego, tapar y dejar hervir a fuego lento, de 45 minutos a 1 hora. Colar el jugo y beberlo caliente.

Propiedades

• Resulta excelente para tratar todas las afecciones de riñón (al que da fuerza y nutre): desde infecciones de las vías urinarias, al lumbago, o la litiasis. Refuerza la zona lumbar y ayuda a la función drenadora del riñón. También fortalece el corazón.

Kuzu
con zumo de manzana

Efecto relajante

Ingredientes
1 taza de **zumo de manzana** frío
1 cucharada de **kuzu**

1. Disolver el kuzu en un vaso de zumo de manzana, pero añadiendo el zumo poco a poco para facilitar su total disolución.

2. Llevar a ebullición, sin dejar de remover, y continuar cocinando a fuego medio-bajo hasta que espese y se vuelva transparente. Tomar tibio.

Propiedades

• Excelente bebida para calmar la ansiedad, la angustia y tranquilizar el espíritu. Regula la hipoglucemia y no produce cansancio. En casos de bulimia o hipoglucemia, se puede tomar a media tarde (cuando más fuerte es la hipoglucemia) o al llegar a casa hambriento.

Kuzu
con miel de arroz

1. Disolver el kuzu en el agua fría. Mezclar con la melaza y llevar a ebullición, sin dejar de remover, cocinando a fuego bajo hasta que se vuelva transparente.

Propiedades

• Baja la fiebre y el estreñimiento en el lactante.

Efecto relajante

Ingredientes
1 taza de **agua mineral** fría
1 cucharadita de **kuzu**
1 cucharadita de **melaza** o **miel de arroz**

Infusiones y tisanas

1. Añadir agua hirviendo sobre las hierbas, tapar y dejar reposar de 5 a 10 minutos.

Propiedades

• En general, las de uso más frecuente tienen un efecto ligeramente relajante: poleo, tila, manzanilla, menta, hierbaluisa... (excepto tomillo y romero).

Efecto relajante

Té Bancha
con rabanito y jengibre

Efecto digestivo

Ingredientes

3 tazas de **té Bancha** caliente

3 cucharada de **rabanito** o **nabo** rallado

1 cucharada de **tamari**

¹/₃ de cucharadita de **jengibre fresco** rallado

1. Rallar el nabo y el jengibre y ponerlos en una taza junto con el tamari.

2. Verter el té recién hecho sobre la mezcla y tomarlo lo más caliente posible.

Propiedades

- Resulta excelente para aliviar los dolores menstruales o los causados por el frío y el bloqueo en la zona baja del cuerpo (por ejemplo, en endometriosis). También es de ayuda en los casos de indigestión o parada digestiva.
- No tomar cuando se está bajo de energía.
- Posología adecuada: 2 veces por semana.

BEBIDAS
medicinales

Té de cebada tostada

Efecto relajante

1. Preparar como la receta anterior, tostando bien la cebada.

Propiedades

• Bebida remineralizante y refrescante.

Ingredientes

2 cucharadas de **cebada integral bio-lógica**
1 l de **agua mineral**

Té de shiitake

Efecto relajante

1. Remojar el shiitake en el agua mineral, durante aproximada-mente 1 hora.

2. Cortarlo en cuatro trozos y hervirlo con el agua de remojo y una pizca de sal, de 15 a 20 minutos.

3. Beber tan sólo media taza, de 2 a 3 veces por semana.

Propiedades

• Resulta excelente para relajar el hígado y combatir la tensión nerviosa. Elimina del cuerpo la proteína animal y la sal. No conviene abusar de él si la persona tiene una condición muy yin (débil) y sufre de digestiones débiles.

Ingredientes

1 **hongo shiitake**
2 tazas de **agua mineral**
Una pizca de **sal marina gruesa**

Compresas de jengibre

Preparación de la infusión de jengibre

Incluimos esta receta porque la compresa de jengibre es una forma casera muy eficaz de estimular la circulación de la energía y la sangre en una zona, por lo que va muy bien en los casos de dolencias crónicas, vinculadas con deficiencias de energía o estancamientos de la energía y la circulación (artrosis, celulitis, lumbalgias, dolencias frías, cólicos renales, etc.).

Por cada litro de agua, una cucharada de jengibre rallado fresco (o seco, en su defecto).

1. Con un trozo de lienzo de algodón o una gasa esterilizada, preparar una muñequilla que contenga el jengibre rallado.

2. Llevar a ebullición 4-5 litros de agua. Apagar el fuego y, con una cuchara de madera o unos palos, remover el agua hasta que las burbujas del fondo salgan a la superficie en forma de espuma.

3. Introducir la muñequilla en el agua y aplicar hasta que el agua se tiña (si el jengibre es fresco y rallado, el agua se teñirá enseguida; si es en polvo, tardará un poco más).

Aplicación de la compresa

4. Introducir una toalla pequeña y dejar que empape. Escurrir y aplicar sobre la parte a tratar (lo más caliente que se pueda resistir) y mantener hasta que ya no esté muy caliente.

5. Se sustituye por otra caliente (1 ó 2 minutos) y se van cambiando a lo largo de 15 minutos, aproximadamente.

6. Para guardar el calor, una vez puesta la compresa, se tapa todo con una toalla o un paño grueso.

Efecto energizante

Contraindicaciones
No se deben aplicar en la cabeza, ni en zonas inflamadas muy calientes, ni sobre el corazón, ni a niños menores de 5 años.

APLICACIONES
externas

GLOSARIO

ALGA AGAR-AGAR

Propiedades:
- Es muy nutritiva
- Sus grandes propiedades digestivas ayudan a eliminar residuos del estómago y del intestino
- Regula el estreñimiento
- Es efectiva en la disolución del colesterol
- Ideal en dietas de adelgazamiento, por su poder saciante y su bajo aporte en calorías

Información nutricional del alga agar-agar:
- 75 g de hidratos de carbono
- 800 mg de sodio
- 400 mg de calcio
- En menor cantidad ofrece fósforo, hierro y yodo
- Su riqueza en agar, le permite ser utilizada como gelatina natural o espesante.
- El alga Agar-Agar es el resultado de la mezcla de ocho variedades de algas marinas

ALGA ARAME

Sabor suave y delicado. Rica en calcio, fósforo, yodo y otros minerales, y en vitaminas A, B1 y B2. Favorece la circulación sanguínea con lo que se superan fácilmente los fríos invernales.

Parecida al *hijiki*, es de un color marrón amarillento cuando es fresca y ennegrece cuando se la cuece. Hay que ponerla un mínimo de 5 minutos a remojo antes de someterla a cocción, la cual se prolongará unos 10 minutos.

ALGA DULSE

Es la más popular del Atlántico Norte y la han usado como alimento durante miles de años los pueblos del noroeste de Europa. Es de color rojizo y tiene una textura muy suave, por lo que casi no requiere tiempo de remojo, 1 ó 2 minutos son suficientes. Es el alga más rica en hierro, lo que la hace un importante fortalecedor de la sangre. Es rica en potasio, magnesio, yodo y fósforo.

ALGA NORI

Alga de color rojo púrpura que en el País de Gales se utiliza en la confección de pan de algas. En Japón, en cambio, se prensa y se obtienen unas finas láminas con las que se elabora *sushi*. Se comen frescas, secas o rehidratadas y se añaden también a sopas, ensaladas y aperitivos.

Son unas algas rojas o púrpuras que se tornan negruzcas al secarse y verdes cuando se cuecen. Son muy típicas para la elaboración de sushi y se suelen vender en forma de hojas finas y secas similares al papel.

El alga nori no necesita tiempo de remojo pues se suele consumir tostada. Para tostarla se utiliza la sartén o se aplica directamente sobre la llama, hasta que toma un tono entre verde y dorado. Se corta en trocitos con la tijera o se espolvorea triturándola con las manos sobre cereales o sopas. Es rica en fósforo y tiene un cierto sabor a sardina.

ALGA WAKAME

Propiedades:
- Regenera la calidad de la sangre
- Tiene propiedades desintoxicantes
- Se recomienda en dietas para personas hipertensas
- Estimula la producción de hormonas
- Apropiada para la recuperación posparto
- Ayuda a mejorar las secreciones de los riñones y del hígado

Información nutricional:
- 50 g aproximadamente de hidratos de carbono
- 13 g de proteínas
- Proporciona vitaminas A, B1, B2 y C
- Es rica especialmente en potasio, sodio, calcio, fósforo y magnesio
- Su contenido en yodo la convierten en un complemento desaconsejable en casos de alteración en las tiroides

AMARANTO

El grano de amaranto, al igual que la quinoa, es considerado como un pseudocereal, ya que tiene propiedades similares a las de los cereales pero botánicamente no lo es aunque todo el mundo los ubica dentro de este grupo.

El cultivo del amaranto o Huautli en América se remonta a más de siete mil años. Algunos autores afirman que los mayas serían los primeros en cultivarlo y que luego poco a poco lo fueron haciendo aztecas e incas. El amaranto, la quinoa y el maíz eran consideradas plantas sagradas, Hoy en día el cultivo de quinoa y amaranto está tomando un gran auge ya que se están redescubriendo sus grandes propiedades. Aparte de producirse en países tradicionales como México, Perú o Bolivia ya hay otros que se han puesto manos a la obra como China, Estados Unidos o la India.

La semilla tiene un alto contenido de proteínas, vitaminas y minerales Es por ello un alimento muy interesante para los niños. Ideal en Anemias y desnutrición ya que es un alimento rico en Hierro, proteínas, vitaminas y minerales.

Tiene un alto nivel de proteínas, que va del 15 al 18%, pero además lo interesante es su buen equilibrio a nivel de aminoácidos y el hecho de que contenga lisina, que es un aminoácido esencial en la alimentación humana y que no suele encontrarse (o en poca cantidad) en la mayoría de los cereales.

Contiene entre un 5 y 8% de grasas saludables. Destaca la presencia de escualeno, un tipo de grasa que hasta ahora se obtenía especialmente de tiburones y ballenas.

Su cantidad de almidón va entre el 50 y 60% de su peso. La industria alimentaria esta estudiando sus características ya que parece ser que puede ser un buen espesante.

El amaranto se cultiva en México, América Central y la región andina de América del Sur. Se lo conoce con distintos nombres como icapachi, sangorache e ilmi. Las hojas se aprovechan como hortalizas y sus semillas en calidad de cereal. Hoy en día, en los restaurantes vegetarianos se lo sirve como una gran novedad.

Precisamente, la combinación de la quinua y el amaranto logra un resultado final mucho más nutritivo y completo para el organismo que su ingestión por separado y esto los convierte, para los expertos, en dos cereales muy ricos y poderosos en provisión de proteínas.

AVENA

Entre los cereales, la avena, destaca tanto por sus cualidades energéticas como por su esbeltez, su grácil estética y ajuste de tallo, espiga y hojas. Sus granos están dispuestos de forma que el sol, el aire, la luz y el agua los penetran y vivifican por todas partes. Ha sido la base de la alimentación de pueblos reconocidos por su vigorosidad como los irlandeses y los escoceses.

En el proceso de transformación de los granos en copos no se elimina nada, sólo se les pasan cilindros para que queden aplastados

Tiene la propiedad de calentar el cuerpo y por eso es ideal para tomar en el invierno

AZUKIS

Propiedades:
- Facilita los procesos digestivos y favorece el desarrollo de la flora intestinal.
- Es utilizada en tratamientos de desintoxicación, gracias a su aporte en tiamina o vitamina B1.
- Protege el corazón y el sistema nervioso.
- Estimula el funcionamiento del riñón produciendo un buen efecto.
- Como toda legumbre ayuda a regular la tasa de azúcar en sangre, siendo aconsejada en personas diabéticas.
- Es muy indicada durante el embarazo por su riqueza en minerales y oligoelementos.
- Relaja y estimula la producción de leche materna.

Información nutricional (por cada 80 g de azuki):
- 263 calorías
- 50 g de hidratos de carbono
- 16 g de proteína
- 10 g de fibra soluble
- Un 249% de las necesidades diarias de ácido fólico
- Un 38% de fósforo
- Un 35% de hierro
- Un 30% de vitamina B1
- Un 29% de magnesio
- Aporta en menor cantidad calcio y contiene muy poca grasa.

Es una legumbre con propiedades depurativas que ayuda a limpiar nuestro organismo a la vez que lo nutre y lo cuida.

CEBADA

La cebada es una planta gramínea anual y se recolecta para sacarle el jugo cuando tiene unos 20 cm de altura ya que su concentración en principios inmediatos, minerales, vitaminas y enzimas es óptima.

Hay empresas que luego lo evaporan y lo comercializan en forma de polvo o comprimido.

Se recomienda en:
- Envejecimiento celular y aparición de arrugas prematuramente gracias a su contenido en las enzimas SOD, peroxidasas y catalasas, vitaminas y minerales y proteínas que actúan favoreciendo el buen estado celular tanto de los órganos internos, como de la piel.
- Alteraciones cutáneas inespecíficas (dermatosis, eczemas, etc.), en donde la acción de vitaminas, minerales y enzimas, se potencian con las de los ácidos grasos esenciales.
- Alteración de líquidos, ya que el contenido de potasio y sodio de la cebada, ayuda a mantener el equilibrio osmótico celular, evitando la retención de agua (edemas) y las deshidrataciones.
- Control de peso: actúa de forma indirecta, ya que al mejorar el metabolismo a nivel general, actúa agilizando el metabolismo de los lípidos, además de estimular la movilización de los líquidos tisulares.
- Alteraciones hormonales de la mujer, por su contenido en isoflavonas, que le confieren capacidad estrogénica. Al mismo tiempo, su riqueza en calcio, magnesio y muchos otros minerales la hacen muy interesante para problemas de osteoporosis y falta de calcio.
- Anemias, por la capacidad antianémica de la clorofila, por su contenido en ácido fólico, hierro y cobre, que favorecen y estimulan la síntesis de hemoglobina.
- Potenciador de la energía sexual y del fluido seminal gracias a su contenido en zinc.
- En casos de astenia y fatiga primaveral.
- Embarazo: es sabida la garantía de salud para el feto si se mantiene una alimentación alcalinizante y equilibrada durante el embarazo.
- Lactancia: por su contenido en vitaminas, minerales, proteínas e isoflavonas con capacidad estrogénica.
- En enfermedades cardiovasculares, gracias sobre todo a su contenido en ácidos grasos esenciales (hipolipidemiantes, antiateromatosos, hipotensores, antiagregantes plaquetarios, etc.), a determinados minerales (potasio, calcio, magnesio, etc.) y a su poder alcalinizante.
- Hipercolesterinemias por su contenido en ácidos grasos esenciales y clorofila.
- Cirrosis y esteatosis hepáticas, por su contenido en colina (sustancia que se opone a los depósitos de grasa en el hígado) y en ácidos grasos esenciales.
- Situaciones de estrés, ya que nos produce un mayor consumo y excreción de minerales (potasio, calcio, magnesio) y vitaminas, especialmente del grupo B (B1, B2,

B6, niacinamida, ácido pantoténico, así como vitamina C, A, ácido fólico, colina y biotina).

- En la rigidez muscular, sobre todo de hombros y espalda. Esto es debido a una acúmulo de ácido láctico, sobre todo gracias al estrés. El efecto alcalinizante y remineralizante de la cebada es fundamental en estos casos.
- Convalecencias y personas mayores por su contenido en vitaminas, minerales, proteínas, clorofila, etc.
- Deportistas: además de ser ideal para reponer la gran cantidad de minerales que han perdido por el sudor, la cebada, por su poder alcalinizante, contrarresta los efectos de la acidosis producidos en los períodos de máximo esfuerzo muscular, impidiendo la aparición de agujetas.
- Alteraciones gástricas e intestinales, por su contenido enzimático, en clorofila, vitaminas y minerales, colabora en la digestión de los alimentos, favoreciendo su asimilación y correcta utilización por parte de las células.
- En procesos reumáticos (artrosis, artritis, gota, etc.) en donde existe una gran tendencia a la acidosis del organismo, la cebada tiene un gran campo de acción tanto por su poder alcalinizante como por su contenido en vitaminas y minerales.
- En niños, por su riqueza en vitaminas, minerales y clorofila, es muy útil en períodos de crecimiento, en falta de apetito, desarrollo muscular insuficiente, durante el periodo escolar, en caso de infecciones repetitivas, etc.
- Es bastante corriente la creencia de que la mayor fuente de proteínas procede del reino animal, es decir, carnes, pescados, lácteos y huevos entre otros. Pero tal creencia es falsa, de hecho gran número de plantas tienen un rico contenido proteico; destacan las hojas de cebada verde con aproximadamente un 45%.
- Contiene también grandes cantidades de aminoácidos esenciales (son aquellos que el hombre no es capaz de sintetizar por lo que los debemos introducir a través de la alimentación).
- Debemos resaltar su contenido en triptófano, precursor de la biosíntesis de diversas sustancias, entre ellas, la serotonina, sustancia vasoconstrictora y neurotransmisora.
- Contiene ácidos grasos esenciales, tales como el linoleico, linolénico, zoomárico, cáprico, oleico, erúcido, laúrico, esteárico, palmítico, mirístico, araquírico, etc.
- Es rica en vitamina C, biotina, tiamina (vitamina B1), colina, riboflavina (vitamina B2), ácido fólico, piridoxina (vitamina B6), carotenos (provitamina A), ácido nicotínico, ácido pantoténico.
- Es rica en minerales, entre los que destacan: cobre, fósforo, zinc, calcio, magnesio, sodio, hierro, manganeso y potasio.
- Es una fuente muy importante de clorofila.
- La cebada contiene aproximadamente unas 20 enzimas. Las enzimas son sustancias imprescindibles para que el cuerpo humano realice todas sus funciones con normalidad.

HIZIKI

Las Hizikis son unas de las algas con más hierro y calcio. Su sabor es realmente a mar; de hecho, es el alga con más sabor.

JENGIBRE

Pertenece a la familia de las cingiberáceas. Se cree que procede de alguna zona tropical de Extremo Oriente. Hoy día se cultiva por casi todas las regiones tropicales, desde la India a Malasia y China, y en América del Sur, especialmente en Jamaica. Su nombre es de procedencia hindú.

Contiene diferentes sustancias, entre ellas el gingerol (aceite esencial). Es aperitivo, estimulante digestivo, carminativo, estimulante circulatorio, antiinflamatorio, laxante, expectorante, febrífugo, antiséptico y analgésico.

Resulta ideal para combatir las malas digestiones, acompañadas frecuentemente de náuseas, vómitos, mareos, etc. También es útil para recobrar el apetito, eliminar gases, en afecciones respiratorias, dolores de muelas y neuralgias… Así mismo estimula la circulación periférica.

En dosis altas produce gastritis y su consumo está desaconsejado en caso de úlcera gastroduodenal en periodo activo. No se recomienda durante el embarazo y la lactancia ni en niños menores de 6 años.

Normalmente se aprovecha el rizoma fresco de la planta, que debe conservarse entero o troceado, en lugar seco, alejado de focos de calor y del contacto directo con la luz del sol. También se puede encontrar jengibre o extractos de jengibre en infusiones, tintura, como aceite esencial, polvo o cápsulas.

KOMBU

El alga kombu procede de Japón. Entre sus propiedades destaca su riqueza en ácido algénico que actúa como un limpiador natural para el intestino, al favorecer la evacuación.

Aporta también ácido glutamínico (versión natural del glutamato monosóldico, aditivo saborizante), que ablanda las fibras del resto de alimentos con los que se combine, potenciando su sabor. Es una de las algas más ricas en yodo, por lo que no hay que descuidar la posibilidad de una ingesta elevada, ya que puede afectar al funcionamiento correcto de la tiroides (glándula que precisa de una cantidad determinada de este mineral).

Propiedades:

- **Actúa como depurador natural** gracias a su contenido en ácido algénico.
- Fortalece los intestinos, siendo utilizada como **remedio para la colitis.**
- **Baja la tasa de azúcar** en sangre.
- Por su riqueza en yodo, ha sido **utilizada** durante siglos, en la China, **para el tratamiento de gota.**
- Contiene aminoácidos que actúan como suaves estimulantes de las membranas mucosas y del sistema linfático.
- **Es beneficiosa para la hipertensión.**

- Facilita la absorción de nutrientes en el cuerpo.
- **Ayuda a recuperar el peso normal** corporal tanto en obesidad como en deficiencia de peso.
- Se recomienda ante problemas circulatorios.

Información nutricional (por 100 g):
- 274 calorías
- 6,3 g de proteína
- 0,3 g de grasas saludables
- 61,6 g de carbohidratos
- 3 g de fibra
- 800 mg de calcio
- 300 mg de yodo
- 15 mg de hierro
- 5,8 g de potasio

Gracias a su riqueza en ácido glutámico, **ablanda las fibras de las legumbres u otros alimentos reduciendo su tiempo de cocción,** a la vez que aumenta el sabor y la digestibilidad del plato.

KUZU

El kuzu es una planta trepadora perenne, que se enrosca en los árboles y puede llegar a grandes alturas. Su enorme raíz, que puede alcanzar el tamaño de una persona, es de donde se obtienen las preparaciones medicinales que se usan en la medicina tradicional china y en los productos de herbolaria modernos. El kuzu crece en las partes más sombreadas de las montañas y los campos, junto a los caminos, en los matorrales y en los bosques poco espesos de toda China y del sudeste de Estados Unidos. La raíz de otra especie asiática de kuzu, *Pueraria thomsonii*, también se usa en herbolaria

Su enorme raíz se emplea desde hace milenios en la medicina tradicional china como remedio para tratar la fiebre, el dolor de cabeza, los trastornos intestinales, como relajante muscular y antiespasmódico.

La raíz de kuzu es rica en isoflavonas, especialmente la daidzeína, y al igual que otros tipos de flavonoides, estas sustancias están relacionadas con una mejora de la circulación sanguínea, por lo que son beneficiosas para prevenir las enfermedades cardiovasculares.

Tras la recolección de las raíces en los meses de invierno, éstas se preparan para ser consumidas. Se trata de un proceso largo y artesanal en el que se separa el almidón del resto de componentes y se deja secar para ser reducido a polvo posteriormente.

De su composición nutricional destacan los hidratos de carbono, empleados en el organismo como principal fuente de energía, y la fibra, necesaria para combatir el estreñimiento, disminuir la absorción intestinal de colesterol y glucosa, y prevenir otras enfermedades como la obesidad y el cáncer de colon.

¿Cómo se utiliza el kuzu?

Si se va a utilizar para confeccionar algún plato, el polvo de la raíz de kuzu ha de ser previamente disuelto en un poco de agua hasta que adquiere una textura gelatinosa y casi transparente.

En la cocina puede emplearse en sustitución de otras harinas para elaborar salsas, sopas, purés, pudings, rellenos de tartas y para añadir al aderezo de las ensaladas, ya que su sabor combina bien con cualquier alimento.

LECHE DE ARROZ

Es una leche o bebida obtenida gracias a la fermentación, en varias etapas, de los granos de arroz frescos, molidos y cocidos.

Es ideal en momentos en que nuestro cuerpo no tolera nada (por ejemplo en una gastroenteritis), indigestión, vómitos, diarreas, postoperatorios. **Su digestibilidad es 100%.**

Tiene un efecto refrescante sobre el organismo y a la vez **es energética gracias a su alto contenido en hidratos de carbono.**

Las bebidas a base de arroz son **una alternativa a la leche de vaca** a la hora de elaborar postres, flanes, crepes.... o para tomar sola.

La mayoría de las leches de arroz del mercado tienen un 1% de aceite de cártamo que le da a esta bebida, por un lado, mayor consistencia, y, por otro, aporta ácido oleico y ácidos grasos poli-insaturados.

Es ideal para aquellas personas que no pueden tomar gluten ya que a menudo también presentan intolerancia a la lactosa u algún otro nutriente de la leche de vaca.

Sus niveles de calcio y proteína no son destacables con lo cual intentaremos compensar cuidando el aporte de esos nutrientes a través de la dieta.

La leche de arroz no tiene nada que ver con el agua de arroz **que se consigue hirviendo el arroz. El agua de arroz al tener mucho almidón corta la diarrea. En cambio, durante la fermentación de la leche de arroz ocurre todo lo contrario ya que se "rompe" el almidón y obtenemos un producto que tiende más a regular, a poner orden a nivel intestinal.**

LECHE DE AVENA

Es una "leche" vegetal obtenida a partir de avena integral, agua, aceite de girasol sin refinar y sal marina. Algunas empresas la comercializan en polvo y otras dentro de tetrabrik (envase de cartón). Gracias a la acción de unas enzimas el almidón de la avena se transforma en maltodextrina, maltosa y glucosa resultando así un alimento muy digestivo. Así se consigue además un producto rico en glúcidos lentos.

Se puede tomar caliente o fría y es ideal con los cereales del desayuno. **Es una alternativa a aquellas personas que no pueden o no quieren tomar leche de vaca y que tampoco terminan de digerir bien la leche vegetal de soja.** Recordemos que la soja no deja de ser una legumbre y por ello a algunas personas les produce hinchazón y pesadez.

Se puede usar, al igual que la leche de vaca, para confeccionar cremas, salsas, batidos, helados, bechamel, natillas y en cualquier receta que podamos hacer con leche de vaca.

La avena es muy rica en fibra resultando así ideal para aquellas personas preocupadas por el colesterol y las enfermedades cardiovasculares. Su riqueza en Beta-glucano (un tipo de fibra soluble) es la responsable también de favorecer la flora "positiva" intestinal como los lactobacilos. Por supuesto las personas con estreñimiento tienen en esta fibra un gran aliado ya que es un buen regulador intestinal.

Su riqueza en vitamina B la hace una bebida ideal para calmar y fortalecer los nervios. Los estudiantes y aquellas personas con los nervios a flor de piel se benefician en gran medida.

Sus proteínas tienen **una buena composición de aminoácidos esenciales.**

Es recomendable en dietas para adelgazar, ya que sus azúcares lentos favorecen la actividad del páncreas y de la glándula tiroides. Además calma la ansiedad, tan habitual en las dietas hipocalóricas.

Información nutricional de la leche de avena (por 100 ml)

- Proteína: 1 g
- Sodio: 40 mg
- Colesterol: 0
- Lactosa: 0
- Grasas: 1,5 g (un 42% son poliinsaturadas)
- Fibras: 9,70 %

La avena en sí misma es un cereal que produce menos reacciones alérgicas que el trigo, la cebada o el centeno en determinados casos de alergia al gluten. No contiene Gliadina, sólo Avenina. Aquellas personas sensibles al gluten que toleran la Avenina y no la Gliadina podrían tomar la leche de avena siempre previa autorización de su médico o especialista.

LECHE DE SOJA

Es una "leche" vegetal **obtenida a partir de soja y agua.** Algunas empresas la comercializan en polvo, otras dentro de tetrabrik (envase de cartón) o botellas de vidrio.

Es una alternativa a aquellas personas que no pueden o no quieren tomar leche de vaca.

Se puede usar, al igual que la leche de vaca, para confeccionar cremas, salsas, batidos, helados, bechamel, natillas y en cualquier receta que podamos hacer con leche de vaca.

Es una fuente muy buena de aminoácidos esenciales, muy necesarios para el crecimiento y desarrollo. Y es un complemento dietético adecuado tanto para niños como para ancianos, grupos de población que consumen con cierta frecuencia alimentos de alto valor calórico pero que aportan pequeñas proporciones de aminoácidos.

La soja es una planta leguminosa que produce por hectárea, más proteína utilizable que ningún otro tipo de cosecha. Las semillas contienen una proporción muy alta de proteínas, que representan el 35% de su contenido calórico total. Y lo mejor es que **la calidad de sus proteínas es muy alta, equivalente a las de las proteínas de origen animal.**

Desde 1967 se han realizado casi un centenar de investigaciones que señalan que las proteínas de la soja reducen los triglicéridos y el colesterol (Colesterol Total, Colesterol-LDL y Colesterol-VLDL) hasta un 15% más que las dietas tradicionales que limitan la ingesta de grasas y colesterol.

Las proteínas de la soja también reducen la velocidad de la oxidación con oxígeno del colesterol, factor muy importante en la génesis de las aterosclerosis. Además, la isoflavona genisteína disminuye la agregación plaquetaria.

Respecto a la osteoporosis los efectos también son muy favorables. Las proteínas animales, ricas en aminoácidos azufrados, favorecen la descalcificación al estimular la eliminación urinaria del calcio. La sustitución de estas proteínas por las de la soja inhibe ese proceso y ayuda a conservar el calcio corporal. Además las isoflavonas inhiben el proceso de destrucción ósea.

Los ácidos grasos que contiene son poliinsaturados: linoleico, linolénico y araquidónico, ácidos grasos esenciales del tipo omega-3 que abundan en el pescado. Su déficit produce retraso en el crecimiento, enfermedades de la piel y alteraciones nerviosas. No contiene colesterol.

La soja contiene isoflavonas, que son estrógenos vegetales, que poseen una acción estrogénica muy pequeña comparada con la de los verdaderos estrógenos corporales. Sin embargo, son buenos competidores de los estrógenos bloqueando sus receptores específicos celulares, reduciendo de este modo, la acción estrogénica. Se cree que en este mecanismo radica la comprobada acción protectora de la soja frente al cáncer de mama en las mujeres. Las isoflavonas de la soja, como la genisteína, son capaces de inhibir los cultivos de células cancerosas. **Aunque hacen falta más estudios, los científicos opinan que un vaso al día de leche de soja, es capaz de reducir significativamente el riesgo de contraer ciertos tipos de cánceres.**

No contiene ni lactosa, ni azúcar, ni colesterol, siendo una alternativa perfecta para personas intolerantes a la lactosa. Muchas personas, cuando pasan de tomar leche de vaca a leche de soja, mejoran mucho a nivel digestivo y así no es de extrañar que noten que se deshinchan y pierdan volumen a nivel del abdomen (barriga).

Producto apto para diabéticos.

Regulador del peristaltismo intestinal.

Por su buena relación calcio/fósforo, es un alimento ideal para diversos grupos de población; por un lado, durante las etapas de crecimiento y adolescencia, donde ambos nutrientes juegan un papel **esencial en la formación y remodelación del hueso y por otro lado, en mujeres gestantes, o durante la lactación y personas de edad avanzada, donde una dieta rica en calcio constituye una medida importante de prevención contra el desarrollo de la osteoporosis.**

También es rica en magnesio, mineral que interviene en la asimilación del calcio y muy útil en problemas cardiacos, de hipertensión, artrosis, etc.

Su contenido en hierro también es alto y además contiene cinc para mejorar la asimilación de las proteínas.

La soja es muy buena fuente de vitaminas B, especialmente vitamina B6 y Ácido Fólico.

LENTEJAS

Propiedades de las lentejas:
*   Las lentejas **ayudan ante las enfermedades cardiacas** ya que **disminuyen los niveles de colesterol** y grasas debido a su contenido en fibra y fitatos.
*   Las lentejas son muy **recomendables en la diabetes** debido a que sus hidratos de carbono se absorben muy lentamente.
*   Las lentejas **son antianémicas,** ya que son ricas en hierro fácilmente asimilable.
*   Las lentejas son una buena **fuente de proteínas**, sobre todo si se combina con arroz.

Información nutricional por 100 g (lentejas crudas):
*   11 g de proteínas
*   19,5 g de hidratos de carbono
*   10 g de fibra
*   0,3 g de grasas
*   318 calorías
*   51 mg de calcio
*   Vitaminas A, B1, B2, B3, B6 y ácido fólico
*   8 mg de Hierro
*   3 mg de Zinc
*   710 mg de Potasio.

Para mejorar su digestibilidad conviene cocerlas un buen rato con un trocito de alga kombu o con alguna especie como el hinojo o el comino.

La lenteja Coral, es una variante de exótico color rosado. Son pequeñas, de rápida cocción. Muy adecuadas para sopas.

La lenteja francesa o Dupuy, es una variedad pequeña de color oscuro. Muy adecuada para guisar con verduras.

MIJO

Su sabor, neutro, suave y lleno de matices, recuerda un poco a la mantequilla, por lo que es apropiado para cocinar junto a otros ingredientes de gustos más intensos en una gran variedad de platos.

Al tostarlo ligeramente en la sartén se percibe un ligero aroma a nueces. Es sólo un anticipo de las posibilidades que ofrece el grano, entre las que también destacan los panes de textura densa, como los que se hacen en Asia y en el norte de África.

Debido a que **es uno de los cereales más energéticos que existen**, es una buena idea incluirlo en el muesli del desayuno o en uno de los platos del mediodía, especialmente durante el invierno. En primavera y verano puede degustarse acompañando refrescantes ensaladas.

En las tiendas de dietética puede adquirirse cualquiera de sus muchas variedades comestibles. Para utilizarlo en la cocina hay que fijarse en tres tipos de mijo: el blanco, el negro y el dorado, que ofrece el mejor sabor.
*   Indicado **en caso de anemia ferropénica, calambres musculares y embarazo.**

*   Es uno de los cereales que más hierro y magnesio aportan. Por eso se recomienda **en casos de debilidad física o psíquica.**
*   Resulta un excelente remedio **para fortalecer la piel, el cabello, las uñas y los dientes.**

Su contenido en **vitaminas B1, B2 y B9 triplica al de otros cereales**, por lo que es muy apropiado para regenerar el sistema nervioso y para las mujeres embarazas o en periodo de lactancia.

MISO

Su origen es chino, pero se extendió a Japón en el siglo VII y hace unas décadas llegó a Occidente.

El miso es pasta de soja fermentada y de sabor salado; para los orientales, es la principal fuente de proteínas.
Existen tres tipos:
*   el miso de soja: hatcho
*   el miso de soja y arroz: komé y guenmai
*   el miso de soja y cebada: mugi

Es de consistencia pastosa y su color va del beige clarito al marrón oscuro, según el tiempo que haya sido fermentado. Es muy buen acompañante en sopas, caldos, cereales y legumbres. Para usarlo bastará con echar una cucharadita de la pasta del miso a la sopa cuando vayamos a tomarla, nunca antes, porque no debe hervir, ya que perdería sus enzimas vivientes que son las que le otorgan sus propiedades medicinales.

Virtudes:
*   **Depurativo**, desintoxicante
*   **Antioxidante** y antienvejecimiento
*   Favorece la **digestión**, muy bueno para personas que tienen gases frecuentes, acidez, reflujos, etc.
*   Promueve el crecimiento de la **flora intestinal**, es decir, de las bacterias probióticas que nos ayudan a hacer la digestión de los alimentos ingeridos.
*   Expulsa del cuerpo las **radiaciones** procedentes de los rayos X o de escapes nucleares; de hecho la sociedad japonesa que consumió soja y otros alimentos macrobióticos no murió en las explosiones de Hiroshima y Nagasaki
*   **Alcalinizante**, elimina la acidez causada por una comida rica en alimentos como carne, queso, pescado, lácteos, embutidos, grasas saturadas (animales).

Cómo tomarlo: se compra la pasta, que viene en una bolsa hermética; una vez abierto se puede conservar en el frigorífico varios meses, cerrado con una pinza para que no se seque.

Es aconsejable tomar el miso siempre antes de las comidas principales, para preparar el estómago para una buena digestión. Para ello prepararemos un caldo vegetal: echamos en una olla bastante agua y las verduras elegidas troceadas en trocitos pequeños (por ejemplo, cebolla, judías verdes, zanahorias, puerros, apio, etc,), también un trozo de alga y un poco de sal marina; lo hervimos a fuego lento, durante un par de horas. Cuando esté hecho y vayamos a comer, calentamos lo que vayamos a tomar y lo ponemos en el cuenco junto a la cucharadita de miso, la disolvemos y …¡a comer! Ya verás como te encanta.

QUINOA

La quinoa, conocida como el «cereal madre» en la lengua quechua, fue el alimento básico de los incas durante siglos y contiene todos los aminoácidos esenciales. Es un grano blando, muy digestivo, de rápida cocción y apreciable sabor. Además, es muy fácil de usar y se comercializa en varias formas: grano, hojuelas, harina, pasta, panes galletas y bebidas. **Y como no posee gluten está especialmente indicada para las personas celíacas (alérgicas al gluten).**

Desde el punto de vista nutricional, la quinoa tiene proteínas superiores a la caseína de la leche (además de que contiene mayor cantidad de hierro y calcio). Y, a pesar de contener menor porcentaje de proteína que la soja (que tiene un 33%), posee 16 aminoácidos. De uno de ellos, la lisina, tiene 1,4 veces más que la soja, 5 veces más que el maíz, 20 más que el trigo y 14 más que la misma leche.

La quinoa (*Chenopodium quinoa will*) está considerado como uno de los granos más ricos en proteínas por los aminoácidos que la constituyen, tales como la leucina, isoleucina, metionina, fenilamina, treonina, triptofano y valina.. La concentración de licina en la proteína de la quinua es casi el doble en relación a otros cereales y gramíneas.

La quinoa, además de las vitaminas del complejo B, contiene vitamina C, E, tiamina, y rivoflavina. La quinoa posee un alto contenido de minerales, tales como fósforo, potasio, magnesio y calcio entre otros. Personas que por circunstancias propias se ven obligadas a consumir poca leche y productos lácteos, tienen en la quinoa un sustituto ideal para el abastecimiento de calcio.

No tiene colesterol ni forma grasas en el organismo, debido a que la presencia de ácidos ólicos no saturados es prácticamente nulo.

USOS DE LA QUINOA

El grano de quinoa se utiliza esencialmente como alimento humano y en menor medida para fines medicinales.

Existen diferentes formas de consumo de este producto: como grano, hojuela, pipoca y en algunos productos derivados, como en pastas, en cereales preparados y en barras de chocolate

RÁBANO CHINO, JAPONÉS O DAIKON

Daikon significa en japonés «raíz grande»: es un rábano grande de color blanco que es especialmente rico en vitaminas y minerales. Procede de Japón y se caracteriza por su forma cilíndrica y alargada. Es de sabor suave. Estudios científicos han probado que el daikon contiene enzimas que favorecen la digestión.

El rábano pertenece a la familia de las Crucíferas. En ella se engloban 380 géneros y unas 3.000 especies propias de regiones templadas o frías del hemisferio norte. En las crucíferas también se incluyen verduras como las coles y los berros. La importancia de esta familia de hortalizas reside en que contienen unos compuestos de azufre, considerados como potentes antioxidantes que ayudan a prevenir enfermedades. Se conoce la existencia de

seis especies de rábano, pero tan sólo se cultiva el conocido con el nombre científico de *Raphanus sativus*.

Los rábanos, por su alto contenido de agua y potasio, poseen una acción diurética que favorece la eliminación del exceso de líquidos del organismo. Son beneficiosos en caso de hipertensión, hiperuricemia y gota, cálculos renales, retención de líquidos y oliguria. Con el aumento de la producción de orina se eliminan, además de líquidos, sustancias de desecho disueltas en ella como ácido úrico, urea, etc.

Buenas digestiones

La mayoría de las propiedades del rábano se deben a la presencia en su composición de compuestos que tienen la propiedad de estimular las glándulas digestivas, a la vez que provocan un aumento del apetito.

Su consumo resulta beneficioso en diferentes patologías biliares y hepáticas gracias a la presencia de intibina e inulina (hidrato de carbono complejo formado con unidades de fructosa que favorece la digestión).

La intibina es una sustancia amarga con efecto colagogo, es decir, que favorece el vaciamiento de la vesícula biliar y estimula el funcionamiento del hígado, con lo que favorece la digestión de las grasas.

Por este motivo, se considera al rábano como una hortaliza válida en la dieta de personas con vesícula e hígado perezosos o dispepsia (malas digestiones).

Flatulencia

Los rábanos presentan en su composición compuestos de azufre que producen flatulencias y dificultan la digestión. Por lo tanto, es aconsejable que las personas que presenten trastornos digestivos de este tipo moderen el consumo de dichas hortalizas.

Prevención de enfermedades

Los rábanos son ricos en vitamina C y compuestos de azufre considerados como potentes antioxidantes de efectos beneficiosos para la salud.

Los antioxidantes bloquean el efecto dañino de los radicales libres. La respiración en presencia de oxígeno es esencial en la vida celular de nuestro organismo, pero como consecuencia de la misma se producen unas moléculas, los radicales libres, que ocasionan a lo largo de la vida efectos negativos para la salud a través de su capacidad de alterar el ADN (los genes), las proteínas y los lípidos o grasas.

Existen situaciones que aumentan la producción de radicales libres, entre ellas el ejercicio físico intenso, la contaminación ambiental, el tabaquismo, las infecciones, el estrés, dietas ricas en grasas y la sobre exposición al sol.

La relación entre antioxidantes y la prevención de enfermedades cardiovasculares es hoy una afirmación bien sustentada. Se sabe que es la modificación del llamado «mal colesterol» (LDL-c) la que desempeña un papel fundamental en el inicio y desarrollo de la aterosclerosis. Los antioxidantes bloquean los radicales libres que modifican el llamado mal colesterol, contribuyendo a reducir el riesgo cardiovascular y cerebrovascular. Por otro lado, unos bajos niveles de antioxidantes constituyen un factor de riesgo para ciertos tipos de cáncer y de enfermedades degenerativas.

REGALIZ

El principio activo más importante del regaliz es la glicirrina, además de los azúcares y los flavonoides; estas últimas, sustancias de acción antioxidante. La glicirrina tiene propiedades antiulcerosas, antiácidas y antiinflamatorias de la mucosa gástrica, que hacen que esta planta esté especialmente recomendada como tratamiento complementario de alteraciones digestivas tales como la úlcera gastroduodenal, situaciones de pirosis o acidez y gastritis, entre otras.

Por otro lado, también posee cualidades expectorantes, por lo que se recomienda su uso en afecciones respiratorias tales como los catarros, el asma o la bronquitis.

SEITÁN

Hace ya 500 años, monjes budistas crearon el seitán. Este alimento está basado en trigo y es rico en proteínas y fibra teniendo poca grasa.

Se elabora hirviendo a fuego lento una masa de trigo en un caldo de raíz de jengibre, alga kombu, y tamari (salsa de soja). Este alimento también se conoce como «comida de Buda», «carne de trigo» o «Kofu». Es una buena alimentación equilibrada en una dieta vegetariana.

Tiene un sabor similar a la carne y se le considera un sucedáneo de ésta. 180 g de seitán cubren prácticamente los requerimientos proteínicos diarios, conteniendo sólo tan 140 kcal.

El seitán es un alimento ideal para niños y mujeres embarazadas. También los diabéticos se benefician de este alimento por su bajo contenido en hidratos de carbono.

SÉSAMO

Las semillas de sésamo son semillas oleaginosas. Contienen un 85% de ácidos grasos insaturados, 22% de proteínas ricas en aminoácidos esenciales y 5% de minerales. Aportan lecitina, una grasa fosforada que es un gran nutriente de las células cerebrales y los nervios ópticos. Tienen ácidos grasos que mantienen fluida la sangre, por lo cual ayudan a disolver el colesterol malo. Nos proveen calcio de excelente absorción para nuestro organismo. Tienen fósforo y vitaminas B3 y E (un antioxidante natural).

Existen diversas variedades de la planta de sésamo. De acuerdo a éstas algunas dan semillas más claras, amarillas, rosadas, castañas o negras.

Lo ideal es consumir las semillas crudas y molidas o bien tostarlas levemente. Los ácidos grasos se alteran por efecto del calor. El molido favorece su absorción. Es muy difícil masticarlas bien hasta transformarlas en un fino polvo. Si no se trituran, no son bien asimiladas y se eliminan por via fecal. Una vez molidas se deben consumir en el mismo día o a lo sumo en dos a tres días, dado que son de fácil oxidación.

100 g de sésamo integral contienen 1500 mg de calcio de fácil asimilación, superando a la leche entera que contiene sólo 120 de muy baja asimilación.

Tienen también hierro, fósforo y magnesio.

Es el mejor preventivo de la osteoporosis.

El sésamo negro tiene más contenido en hierro que el blanco.Por todos los nutrientes que contiene se convierte en un energizante, defatigante, y preventivo en casos de agotamiento mental y nervioso.

El sésamo favorece la mejor oxigenación cerebral y al fluidificar la sangre se convierte en preventivo de la arterioesclerosis.

Es aconsejable consumir el sésamo integral dado que contiene fibra. El blanco tiene mayor contenido en aceite, siendo más agradable al paladar el primero.

La cantidad aconsejada es de 2 cucharadas diarias de semillas integrales molidas. Se pueden espolvorear tanto sobre las frutas (excepto cítricos) o bien sobre las ensaladas o pastas integrales en reemplazo del queso de rallar.

SHIITAKE

Según el Dr. K. Cochran de la Universidad de Michigan y el Dr. K. Mori de Japón, Shiitake tiene grandes propiedades medicinales. Estos hongos son bajos en calorías, altos en proteínas, hierro, fibra, minerales y vitaminas. Shiitake, por ejemplo, contiene vitaminas B1, B2, B6, B12, y D2, con altas cantidades de riboflamina y niacina. Definitivamente una comida excelente con propiedades medicinales. El consumo de setas Shiitake es una buena forma de prevenir las enfermedades y de tener buena salud. El Dr. Vincent T. Flynn de Nambour Queensland confirma que los hongos Shiitake pueden aumentar la longevidad y son un increíble afrodisíaco.

Valor nutricional por 100 g:

- 39 calorías
- 15-35% proteínas
- Menos de 1 g de colesterol
- 7.3 g de carbohidratos
- * .8 g. fibra
- 8 mg tiamina (53% mdr)
- 5 mg riboflamina (29% mdr)
- 5.5 mg. niacina (27.5%)
- Alto contenido en vitamina D2 (50%)
- B2 y B12 American Health Magazine, May 1987.

Aunque muchas personas creen que el tamari, la salsa de soja y el shoyu es lo mismo, al ver los ingredientes podemos observar las diferencias.

El tamari es una salsa hecha a base de soja, agua y sal.

La salsa de soja o shoyu es una salsa a base de soja, agua, sal y... trigo (hemos de vigilar, ya que contiene Gluten).

La salsa de soja o shoyu y el tamari se obtienen fermentando, entre 18 y 24 meses, granos de soja, trigo tostado (en el caso de la Salsa de soja o Shoyu), agua y sal

Propiedades

Pueden ser en muchos casos buenos sustitutos de la sal ya que aunque contienen sodio (no tomar aquellos que tienen prohibida la sal) realzan mucho el sabor de los alimentos a la vez que nos aportan muchos nutrientes. Recordemos que con unas gotas es suficiente. La Salsa de soja o Shoyu, al tener trigo, tiene un sabor más suave que el Tamari y es ideal para cocinar verduras, proteínas vegetales, sopas, guisos, hacer salsas o para acompañar a las algas.

El tamari, aunque también se puede usar para cocinar (va mejor para carnes y pescados), muchas personas lo utilizan casi más como remedio medicinal y añaden cuatro o cinco gotas de tamari al té (sobre todo al té Bancha) para combatir el cansancio ya que alcaliniza el Ph sanguíneo gracias a su efecto remineralizante. A esto también contribuye su riqueza en ácido acético. Su riqueza en ácido acético favorece la eliminación de muchos microorganismos dañinos que puedan estar en los alimentos.

Como la mayoría de los alimentos fermentados favorece la absorción de nutrientes y una buena digestión.

Valor nutricional (100 ml.)

Salsa de soja o Shoyu

- Proteínas: 9,5%
- Agua: 55 %
- Hidratos carbono: 5,7%
- Calcio: 144 mg
- Hierro: 4,5 mg
- Sal: 17 %

¡No hemos de olvidar que tiene trigo y por tanto debe ser evitado por los celíacos o personas intolerantes a los alimentos que contienen gluten! Por otro lado eso le aporta un sabor más suave y una mayor variedad de nutrientes.

Tamari

- Proteínas: 5,5%
- Agua: 60%
- Hidratos de carbono: 9,5%
- Calcio: 80 mg
- Hierro: 7 mg
- Sal: 19%

Por supuesto hemos de vigilar que el producto no lleve azúcar, caramelo o aditivos como el Glutamato Monosódico. En estos casos estaríamos tomando un producto que puede ser quizá agradable pero con menos o pocas propiedades medicinales.

Otras personas miramos además que sea cultivado ecológicamente y no sea, pues, a base de soja transgénica.

TÉ BANCHA

En los años 20 en Kyoto un comerciante de té invento el té Hojicha tostando té verde Bancha. De esta manera obtuvo un té de sabor suave sin cafeína, ya que el proceso de torrecfactado destruye la mayor parte de esta sustancia. Este té se puede tomar a cualquier hora del día ya que no altera el sueño. También es agradable de tomar con las comidas

El té Banchá proviene de la planta del té y es elaborado de acuerdo a la antiquísima tradición china y japonesa. Las hojas de este té permanecen durante 3 años en la planta. Al recolectarlas finalizado este período se produce una pérdida de la teína, conservando sólo el 0,5%, lo cual no lo convierte en excitante como el té negro común.

El té Banchá se seca al sol y no como los tés comerciales que son tostados en hornos; no contiene ni aditivos ni colorantes.

«*Ban*» significa *3 años*.

«*Chá*» significa *Té*

Por el tiempo de permanencia de las hojas y ramas en planta contiene muchos minerales y vitaminas. Es muy rico en calcio, tiene más cantidad que la leche vacuna. Es digestivo, tonificante y defatigante.

Por ser altamente energético no conviene consumirlo por la noche.

El kukicha o bancha son el mismo té. Kukicha es la rama, y por lo tanto es más yang, bancha es la hoja, más yin (yin-yang). También se conoce como té de tres años.

Este té tiene seis veces mas calcio que la leche de vaca y 2 1/2 veces más vitamina C que la naranja. Ayuda a alcalinizar la sangre. Cuando nos sentimos cansados nos refrescará y fortalecerá. Es beneficios para personas que sufren de infección de la vejiga, enfermedades del corazón e indigestión. Es una bebida saludable para todos incluso para los niños. También ayuda la digestión.

TÉ HOJICHA

En los años 20 en Kyoto un comerciante de té invento el té hojicha tostando té verde Bancha. De esta manera obtuvo un té de sabor suave sin cafeína, ya que el proceso de torrefactado destruye la mayor parte de esta sustancia. Este té se puede tomar a cualquier hora del día ya que no altera el sueño. También es agradable de tomar con las comidas

TÉ MÚ

Es una mezcla, siguiendo una antigua receta también oriental, de hierbas de monte, entre las que se encuentra el ging-seng, hierba considerada como fuente de juventud, que estimula el sistema nervioso y actúa en forma benéfica sobre las facultades mentales.

El té Mu a veces viene en sobres, no siempre, un sobre para un litro de agua; este té tendrá que hervir 5 minutos y otros tantos de reposo, servir sin azúcar. También puede ser una bebida de verano tomándola fresca del frigorífico (¡Delicioso!).

TEMPEH

Es un alimento originario de Indonesia, que se elabora a partir de la soja cocinada y fermentada.

El resultado es un conglomerado blanquecino, donde se distinguen aún los trozos de soja. Su consistencia es semiblanda pero firme, y permite cortarlo y hacer filetes u otras presentaciones. El tempeh se encuentra envasado al vacío o en botes de cristal como conserva.

- Contiene un 19,5% de proteínas de gran calidad.
- No contiene colesterol. Sólo tiene un 9% de grasas, la mayoría no saturadas.
- Es muy digestible gracias a las enzimas producidas durante la fermentación
- Contiene vitaminas del grupo B y B12
- Posee propiedades estimulantes para el crecimiento.
- Contiene un antioxidante natural que evita que se estropeen las grasas de la soja y preserva biológicamente: la vitamina E. Se cocina la pieza entera unos 15 minutos con agua, salsa de soja, una tira de alga kombu y hierbas aromáticas al gusto. Después de esta preparación básica, el tempeh ya está listo para comer directamente o bien se puede freír, saltear, rebozar, o hacer a la plancha. También se puede añadir a estofados, sopas, cocidos, platos de cereales, pastas, etc.
- 157 calorías
- Proteínas: 19%
- Grasas: 9%
- Hidratos de Carbono: 7%

TOFU

Es muy rico en vitaminas y minerales y sobre todo en calcio, un mineral fundamental para la construcción y mantenimiento de huesos y dientes. Contiene en términos generales un 25% más de calcio que los productos lácteos. Un trozo de $1/4$ kg de tofu nos proporciona un 38% de los requerimientos cálcicos diarios promedio. También contiene hierro, fósforo, sodio, potasio y vitaminas del grupo A, B y E.

El verdadero tofu se hace cortando la leche de soja con «*nigari*», que es una sal de calcio; esto incrementa su valor en calcio. También se puede utilizar cloruro de magnesio.

El tofu posee grasas insaturadas de alto valor para nuestro organismo, lo cual lo hace apto para ser consumido por quienes padecen colesterol alto, trastornos cardiovasculares o problemas reumáticos. El tofu no tiene colesterol en oposición a los quesos vacunos, que de acuerdo a la variedad tienen altos valores en grasas saturadas, siendo el más graso el de rallar.

Es muy rico en ácido linolénico, uno de los más importantes ácidos grasos poliinsaturados. Este es un ácido esencial y no puede ser sintetizado por nuestro organismo, por lo que debemos obtenerlo de la alimentación. Este ácido permite la emulsión, dispersión y eliminación de los depósitos de colesterol y otras grasas nocivas producto de una mala alimentación, que se acumulan en nuestro organismo y en la sangre. A su vez contiene **lecitina**, que es un ácido graso fosforado (fosfolípido) muy importante para nutrir las células de nuestro cerebro y para reforzar los músculos oculares.

La lecitina está presente en todas nuestras células, sobre todo en las que forman el sistema nervioso. La soja aporta una buena cantidad. La yema de huevo también aporta lecitina, la diferencia está en que forma parte de un alimento rico en grasa saturadas. El tofu es muy bajo en calorías (87 cada 100g), ideal para regímenes de adelgazamiento.

Puede ser consumido por bebés, ancianos y personas con trastornos digestivos. Puede ser consumido por quienes padecen diabetes y celiaquía pues no posee gluten.

Es ideal para la alimentación del bebé como sustituto de las proteínas animales. A partir del séptimo mes se lo puede comenzar a incorporar a las papillas.

Pueden consumirlo las personas con úlcera o gastritis, divertículos o trastornos hepáticos.

El tofu cuando es fresco dura unos 10 días en la heladera. Se conserva en un recipiente con agua. Es conveniente lavarlo cada día y cambiarle el agua.

¿Cómo reconocer el tofu fresco?

Debe tener color blanco y prácticamente ser inodoro. Cuando es viejo presenta un olor ácido y al cortarlo se desprende como una baba.

Composición del tofu por (cada 100 g:)

- Proteínas   13,7%
- Hidratos de carbono   2,8%
- Grasas   9%
- Agua (humedad)   73%
- Fibras   0,3%
- Cenizas   1,2%
- Calcio   159 mg
- Sodio   7 mg
- Fósforo   109 mg
- Hierro   2,5 mg
- Vitamina B1   0,02 mg
- Vitamina B2   0,02 mg
- Vitamina B3   0,5 mg

Propiedades terapéuticas

La soja contiene «*fitoestrógenos*» que podríamos definirlos como hormonas naturales de origen vegetal. Los fitoestrógenos tienen un efecto equilibrador, incrementando la actividad de los estrógenos si el cuerpo está escaso de ellos, mientras que disminuyen la actividad de los mismos, si éstos se hallan en exceso. Dentro de los fitoestrógenos hallamos **las isoflavonas**. Éstas tienen una actividad estrogénica y antiestrogénica. Las isoflavonas al ingresar en el intestino se combinan con bacterias intestinales, transformándose en una hormona antioxidante y protectora contra el cáncer.

Por sí solo el tofu no tiene prácticamente sabor, toma el gusto de los alimentos que lo acompañan, por lo que es importante aprender a prepararlo.

Cereal sagrado para la cultura mejicana y centroamericana, de fácil cultivo y de gran contenido en proteínas, su uso fue despreciado porque se le relacionaba con la pobreza de los indios, sus consumidores habituales.

Contiene proteínas de alto valor biológico, es decir, aquellas que realmente el organismo asimila, como son la lisina y la metionina; de ahí que su aprovechamiento proteico llegue al 74% (en la carne es del 60%). También en este cereal el germen ocupa el 30% de su peso, y es además rico en fósforo, fibra, hierro, calcio, potasio y vitamina E.

TRIGO SARRACENO

El trigo sarraceno o alforfón, aunque se considera un cereal realmente no lo es, ya que aunque tiene características similares, no pertenece a la familia de las gramíneas sino a las poligonáceas. Es originario del Asia Central. Aunque se ha cultivado también tradicionalmente en muchos países, hoy en día los principales países productores son también los mayores consumidores. China produce 55% del total mundial, seguido por Rusia (20%), Ucrania (15%) y Polonia (3%).

Se puede consumir en forma de grano (forma triangular, como una pequeña pirámide) y en forma de harina. De su harina se elabora pasta o Soba (como se conoce en Japón), crepes, sémolas y pasteles. Los granos tostados se conocen como Kasha. Recomendamos probarlo primero en forma de pasta o Soba ya que su sabor es muy intenso.

Las sumidades florales del trigo sarraceno son muy ricas en rutina, que es un alcaloide ideal para tratar la fragilidad y permeabilidad de los capilares sanguíneos. Por ello es muy conveniente en varices, hemorragias retinales y otros problemas circulatorios ya que además tiene una función antiinflamatoria.

En la medicina popular se ha venido usando en forma de infusión mientras que a nivel farmacéutico se aísla la rutina para elaborar preparados circulatorios.

Su contenido en vitaminas del grupo B junto con su aporte de hierro lo convierten en un buen aliado contra la anemia.

Al ser un alimento rico en ácidos oleico, linoléico, palmítico y linolénico, el trigo sarraceno o alforfón nos ayuda en la lucha contra el colesterol y las enfermedades cardiovasculares.

El cultivo de trigo sarraceno favorece, en gran medida, la actividad apícola (producción de miel) ya que son plantas que toleran muy mal los productos fitosanitario químicos y además sus características biológicas favorecen que las abejas produzcan más miel.

Gracias a su alto nivel proteico se usa también para la alimentación de animal.

Puede utilizarse como sustituto de grasas y espesante ya que el 70% del grano es almidón.

Tradicionalmente se ha venido usando las semillas maduras frescas y trituradas para curar los eczemas y tumores aplicadas en forma de cataplasma.

Su cáscara se utiliza en Japón desde hace más de 500 años como relleno para fabricar almohadas. Son almohadas famosas porque se ajustan a la forma y peso de la cabeza de cada persona. No se achatan durante la noche y esto favorece la descarga de tensiones en hombros y cuello.

Este cereal es «el rey de la proteína vegetal» debido a su alto contenido en proteínas (entre un 10 y un 13%) y a la su gran disponibilidad (se calcula que podemos asimilar el 70%). A la vez es **muy rico en el aminoácido Lisina** (escaso en las proteínas vegetales) y en otros aminoácidos esenciales (arginina, metionina, treonina y valina).

No contiene gluten y por ello es ideal en dietas para los celíacos.

Es el cereal más energético y nutritivo. Ideal en países fríos o en invierno y es muy conveniente para personas mayores, niños y convalecientes. No se recomienda tomarlo por la noche en gran cantidad ya que aunque no es excitante da mucha energía.

UMEBOSHI

Es una variedad de ciruela muy utilizada por sus propiedades medicinales en Japón, China y Corea y que va tomando cada vez más auge en muchos países occidentales.

Se escoge una variedad muy concreta de ciruelas verdes japonesas y se dejan secar en esterillas de arroz expuestas al sol durante el día y al aire libre durante la noche. Al cabo de varios días las ciruelas se vuelven más pequeñas y arrugadas. Entonces las ponemos en barriles con sal marina y un peso encima. Gracias al sol y a la sal marina conseguimos hacerlas fermentar. Se calcula en un par de años la fermentación mínima ideal.

En su elaboración también se añaden las hojas de una planta conocida como Shiso o Perillaque, que además de aportar más minerales añaden su poder antialérgico.

• Importante efecto alcalinizante del Ph sanguíneo gracias a su riqueza en ácido cítrico, que además nos ayuda a absorber mejor los minerales alcalinos que contiene (magnesio, potasio, calcio y hierro).
• Combate el cansancio y la fatiga crónica causada por un exceso de acidez en todo el organismo.
• Estimula el funcionamiento hepático ayudando así a eliminar sustancias de deshecho y el exceso de colesterol. Es, pues, desintoxicante.
• Combate el mal aliento precisamente gracias a ese efecto depurativo y a que mejora las digestiones excesivamente lentas que son una de sus causas.
• Gracias a su poder alcalinizante ayuda a eliminar el exceso de ácido del estómago.
• Antiséptico intestinal es útil en diarreas y estreñimientos.
• Como la mayoría de los alimentos fermentados tiene un efecto antioxidante.
• Ayuda a recuperar el apetito ya que favorece la secreción de jugos digestivos.
• Eficaz en la mayoría de casos de vómitos, cefaleas y nauseas, ya que la mayoría están provocados por el estreñimiento o una congestión del hígado.
• 65 mg de calcio
• 130 mg de hierro
• 2.7 mg de fósforo

ÍNDICE ONOMÁSTICO

ÍNDICE DE RECETAS POR EFECTOS

Servicios ofrecidos por el autor

Las recetas de este libro pueden verse en vídeo, con todo detalle, en www.nutricionenergetica.com

SERVICIOS EDUCATIVOS
Seminarios y cursos de formación impartidos regularmente por el doctor Jorge Pérez-Calvo Soler sobre nutrición energética y diversos temas relacionados con la salud, el conocimiento, el bienestar y la integración cuerpo-mente-espíritu.
Interesados contactar con
nutricionenergetica@nutricionenergetica.com
www.nutricionenergetica.com

CONSULTA MÉDICA NATURAL
Sobre la base de una formación médica y hospitalaria rigurosa, la consulta del doctor Jorge Pérez-Calvo Soler ofrece el ejercicio de un amplio abanico de medicinas y terapias naturales, energéticas y holísticas para el tratamiento y ayuda de gran número de enfermedades, incluso crónicas o degenerativas, propias de nuestra civilización, algunas de difícil solución con la sola ayuda de la medicina académica tradicional.

Doctor Jorge Pérez-Calvo Soler
c/ Muntaner 438, 3°, 1ª
08006 Barcelona
Teléfono: 93 202 13 35
recepcion@medicinanaturalybiologica.com

BIBLIOGRAFÍA RECOMENDADA

- Cazals, Diana y Gerard: *Comer bien comer sano*. Aura
- Colbin, Annemarie: *El poder curativo de los alimentos*. Robin Books
- Descamps, Hubert: *Hipocrates avait raison*. Ki
- Kushi, Michio: *El libro de la macrobiótica*. Chakra y Edaf
- Kushi, Michio: *La dieta preventiva del cáncer*. Maldonado
- Pérez-Calvo, Jorge: *Nutrición energética y salud*. Grijalbo
- *Sumario ejecutivo de la OMS sobre dieta y enfermedad*. Ginebra, 1991
- Tucci, Alfredo: *Cocina natura*. Everest

AGRADECIMIENTOS

A Montse Vallory, excelente profesional de la cocina energética, por su ayuda en la «puesta a punto» de las recetas, algunas de las cuales son suyas, y por trabajar con tanto rigor y con la intención siempre puesta en dar lo mejor de sí misma.

A todas las profesoras y profesores de cocina con los que hemos tenido el privilegio de aprender.

Al profesor Michio Kushi, cuya inspiración y trabajo ha divulgado y formado a tanta gente excelente motivada en el arte de la cocina y la alimentación inteligente.

CRÉDITOS FOTOGRÁFICOS

AJJ Estudi, página 30. Ana García, página 60. Jordi García, página 74. Gastrofotos, páginas 78, 85, 87, 91, 93, 99, 103, 105, 107, 109, 111, 113, 115, 117, 121, 123, 125, 127, 129, 137, 141, 142, 145, 147, 149, 151, 153, 157, 159, 161, 165, 169, 173, 175, 177, 179, 183, 187, 189, 193, 195, 199, 205, 207, 213, 217, 218, 221, 223, 226, 231, 241, 247.